COLLECTION FOLIO

Nicolas Fargues

La ligne
de courtoisie

P.O.L

Né en 1972. A obtenu en 2011 le prix du Livre France Culture-*Télérama* pour *Tu verras*.

Cela faisait bien vingt minutes que je promenais mon chariot entre les linéaires et les gondoles de l'hypermarché, je n'avais toujours rien déposé dedans. Crevettes pénéides de Nouvelle-Calédonie ou veau d'Aquitaine élevé sous la mère ? Courgettes blanches de Virginie ou potimarron Uchiki Kuri ? Je ne me sentais pas tant en proie à une indétermination de gourmet qu'au découragement pur et simple.

La dernière fois que je m'étais ainsi forcé à concevoir un repas pour plus de trois personnes remontait à quatre ans, peu de temps après avoir connu Léa. Afin de passer pour un garçon dévoué et prompt à l'initiative, je lui avais suggéré d'inviter à dîner à mon appartement ses meilleurs amis du moment. Elle choisirait la date et téléphonerait à chacun, c'est moi qui prendrais la suite en charge. « Tu n'auras même pas besoin de rester à la maison pour m'aider à préparer, je m'occupe de tout », j'avais surenchéri, cherchant surtout à lui signifier par là que rien ne serait jamais trop confortable pour elle. Et, de fait, épris de Léa depuis moins d'un mois, j'aurais pu alors exécuter à peu près n'importe quoi pour l'éblouir, comme chaque fois que je viens de rencontrer une fille et que je m'évertue à passer à ses yeux pour un type formidable.

« Bon, d'accord », elle avait consenti avec tiédeur, « Promis, je te laisserai tout faire tout seul. » Avant de s'assurer du bout des lèvres, rendue quelque peu soupçonneuse par mon zèle : « Et toi ? Tu es sûr que tu n'as envie d'inviter personne ? » « Personne », j'avais souri dans une magnanimité nerveuse, comme pour contrecarrer ma double déception qu'elle n'eût manifesté davantage de gratitude envers ma proposition ni spontanément soulevé l'hypothèse de passer le jour dit un peu de temps avec moi et me faire la conversation pendant que je pèlerais mes patates douces et farcirais mes bars de pleine mer.

J'avais ajouté, tout en l'appréhendant d'autorité par la taille en représailles : « Des amis, de toute façon, je n'en ai plus depuis longtemps. Mais j'ai hâte de rencontrer les tiens. » Soulagée par ce supplément d'information, elle s'était exclamée : « Mais c'est idéal ! » sur ce mode joliment désuet qui m'avait enjôlé dans les premiers temps, avant que je ne me rende à l'évidence qu'il était en réalité, comme tout le reste chez Léa, très étudié. *C'est idéal !* Puis elle avait complété plus platement, sans paraître un instant consciente d'aiguillonner ainsi ma jalousie : « Parce qu'en général, je m'entends assez mal avec les amis de mes mecs. »

Puisque rien dans mon offre ne semblait plus la contrarier, ne jugeant pas utile de relever un détail (« Je n'ai pas d'amis ») qui convoquait pourtant des éclaircissements, elle s'était laissé embrasser sans faire de manières. J'en avais profité alors pour la conduire dans ma chambre, choisissant, comme chaque fois que je me lie à une femme, de ne pas m'attarder sur les premiers symptômes de son individualisme, trop pressé que j'étais alors de retrouver le galbe mammaire juvénile et l'intimité blond blé de Léa. On récolte celles qu'on mérite.

Dès dix-neuf heures trente le jour du dîner, tout était prêt. J'avais, le matin même, fait le déplacement jusqu'au marché éconaturel du boulevard Raspail, écumé les épiceries fines environnantes, opté pour deux bougies odoriférantes à cinquante euros pièce chez un artisan tricentenaire de l'Odéon et pour une nappe de table en polyméthacrylate de méthyle chez un détaillant de mobilier de décoration pour professions supérieures. Dans cette crise d'ardeur pécuniaire, j'en avais profité pour me constituer un lot neuf de couverts et de flûtes à champagne, commandé deux volumineuses contextures florales chez un plasticien-horticulteur de La Tour-Maubourg, et en conséquence deux vases neufs, convaincu qu'au moins Léa, qui m'avait dit affectionner tout particulièrement clématites et curcumas, en ferait par la suite un usage régulier. De retour à l'appartement, j'avais entrepris un ménage approfondi et multidimensionnel de chaque pièce, parfumé les toilettes à l'encens de bois d'agar puis programmé sur un site à péage d'internet, moi qui n'y entendais rien en fait de techno minimale, un échantillon de titres recommandés sur un forum d'échanges spécialisé en priant pour qu'ils plaisent à Léa.

À vingt heures, au terme d'une après-midi passée au cinéma puis à chasser du côté de la place des Victoires une étroite robe à paillettes dans les tons *gunmetal* pour la soirée, elle était enfin apparue. Après s'être brièvement émerveillée de tout le travail que j'avais abattu, elle s'était isolée dans la salle de bains pour se changer, se maquiller et se composer une coiffure dont la structure nécessitait l'emploi d'une quarantaine d'épingles et d'élastiques nains. Elle ne s'était montrée qu'au premier coup de sonnette d'invité à la porte d'entrée, une bonne demi-heure plus tard, tout en se plaignant que son vernis corail n'avait pas eu le temps de sécher. Dans l'heure qui avait suivi, l'appartement s'était progressivement rempli d'une dizaine d'individus supplémentaires qui, tous arrivés les mains vides, avaient conservé aux pieds leurs épais souliers d'hiver gonflés d'eau de pluie et commencé d'allumer des cigarettes, moi qui ne supporte pas le tabac.

Vers deux heures et demie du matin, mon parquet flottant maculé de traces sèches de semelles boueuses, les flûtes à champagne capitonnées de mégots et la table de la salle à manger couverte de vaisselle sale et de reliefs alimentaires en ébauche de décomposition, ils étaient repartis sans un merci. J'avais entrouvert les baies du salon afin d'aérer, laissant pénétrer du dehors une brise ventilante bienfaitrice. Tandis que je commençais à desservir la table, Léa faiblissante avait ôté ses épingles une à une en prenant bien garde chaque fois de ne pas entortiller de cheveux dans le laiton. Au terme de l'opération, prétextant tout en se frottant les épaules qu'il faisait désormais bien trop froid dans l'appartement pour m'aider à faire la vaisselle, elle était partie se coucher après m'avoir déposé un baiser exténué sur la pointe du nez.

Cinq mois plus tard, à la faveur de la semaine de stimulation groupée de créativité annuellement organisée à Santorin par la maison de disques qui employait Léa, elle me quittait pour un assistant au son du premier album d'un lauréat de programme télévisé en temps réel dont je n'ai jamais su retenir le nom. À cause de quelques brûlures de cigarettes qui en avaient irrémédiablement compromis l'usage, je m'étais résolu à disjoindre la doublure microfibrée du recto de ma nouvelle nappe de table pour la découper en une dizaine de quadrilatères identiques destinés à régénérer mon stock vieillissant de torchettes de ménage. Quant aux quatorze verres sodocalciques à champagne, au coffret vingt-quatre couverts en acier brossé inoxydable et aux deux vases paraboles borosilicatés, préjugeant que je n'aurais pas l'occasion de m'en resservir de sitôt, j'en avais fait don à une association laïque de solidarité le mois suivant, retrouvant, comme du temps d'avant Léa, mes couverts habituels dépareillés en fer-blanc ainsi que mes verres à moutarde pour juniors, sur les bords desquels les fragments de décalcomanies n'en finissaient pas de s'écailler.

La mémoire de ce dîner a aussitôt ranimé chez moi l'urgence qu'il me fallait en organiser un autre d'ici quelques heures, en perspective duquel je ne disposais plus chez moi que de cinq fourchettes et quatre couteaux de table, dont deux à lames lisses. J'ai pris une lente inspiration pour refouler le flux d'impatience que je sentais se diffuser dans mes mâchoires (*La contradictoire corvée que se forcer à vouloir faire plaisir à ceux qu'on aime*, j'ai pensé), puis je me suis dirigé vers le rayon réservé à la quincaillerie, à l'extrémité opposée du magasin, où il m'a fallu plusieurs minutes supplémentaires pour débusquer un jeu de fourchettes, couteaux et cuillers à café en inox magnétique vendus par dix, entouré de ces bagues adhésives qui laissent sur les manches des traces de colle tenaces que les grattoirs et détergents ordinaires pour vaisselle ne suffisent jamais à désagréger complètement. J'ai entreposé l'article au fond du chariot et, avec le choc du mouvement lorsque j'ai repris ma déambulation à travers les rayonnages, le paquet a sèchement glissé sur la grille métallique de soutien pour terminer sa course agglutiné dans une encoignure du caddie désert, accentuant ainsi l'envergure herculéenne de la tâche qu'il me restait à accomplir.

Je commençais à regretter de n'avoir pas commandé plus simplement des pizzas chez l'Égyptien du boulevard, présumant que Rita et Stanley (et, en conséquence, sa nouvelle petite amie) étaient enclins à en manger en toutes circonstances, et que Dorothée, qui se nourrissait exclusivement de plats réchauffables tout préparés provenant de la demi-douzaine de lucratifs traiteurs wenzhous du quartier, était inapte à faire la différence entre un restoroute et une table d'hôte périgourdine. Quant à Sylvain, bien qu'aussi vétilleux que moi sur la qualité de son alimentation (notre seul véritable point commun), il n'aurait probablement rien trouvé non plus à redire, étant à même de supposer qu'à la veille de l'état des lieux de mon appartement et de la remise des clés à l'agence de location, je n'allais pas me mettre en cuisine.

Qu'est-ce qui, ce matin-là, pouvait bien avoir corrompu ma tranquillité pour me soumettre à ce défilé de contraintes : dénicher une chemise et un pantalon présentables dans mon dressing dépeuplé, assujettir mes épis capillaires du matin, chausser des souliers d'extérieur, affronter la rumeur inhospitalière du boulevard, évoluer du bon côté du trottoir sans mordre sur les talons des piétons plus lents que moi tout en cédant la voie aux plus pressés et en anticipant les trajectoires subversives, tolérer dans le métro les exhalaisons dermiques et autres remugles intestinaux de mes congénères anonymes, m'asseoir sur le tissu de sellerie d'un strapontin chauffé par le séant douteux d'un autre, remercier, sourire et m'excuser sans cesse, patienter devant les torrents de carrosseries et de vapeurs catalytiques aux passages protégés, ignorer le vacarme visuel des dizaines d'enseignes de boutiques, parfumeries et opérateurs de téléphonie mobile au centre commercial, réclamer au comptoir d'accueil du magasin un jeton à insérer dans le cadenas de consignation du caddie pour tâcher enfin, comme soixante-cinq autres millions de Français, de trouver du bien-être parmi l'étalage de milliers de marques et d'emballages fantaisie, les Saveur tradition, Goût fermier, Harmonie fruitée, Mélange forestier et autres Panier découverte.

Qui ou qu'est-ce qui pouvait bien m'avoir, une fois de plus, conduit à me fabriquer de toutes pièces un objectif aussi éloigné de mes intérêts que celui-là ?

Je le répète, pas Stanley ni Rita, auprès desquels, en tant que leur père, je n'avais rien à justifier quant à mes mérites de maître de maison. Ni Dorothée, qu'en tant que voisin de palier depuis cinq ans, partenaire de coït à moins de dix reprises et réceptacle régulier et patient des monologues et des découragements de toute sorte, je n'avais jamais vraiment eu le loisir de chercher à séduire. Sylvain non plus, qui, plutôt attentif à me remettre en cause au moindre faux pas, demeurait avant tout mon frère cadet.

Un peu Hidaya peut-être, la fiancée de Sylvain. Il l'avait rencontrée près d'un an plus tôt lors d'une mission d'expertise territoriale à Mayotte, où elle poursuivait un apprentissage de documentaliste scolaire tout en œuvrant à mi-temps comme réceptionniste dans le trois-étoiles de Mamoudzou où mon frère était logé avec ses collègues de métropole. Lui qui d'ordinaire prenait un soin particulier à me priver du rapport de ses tentatives sentimentales, il n'avait pu s'empêcher cette fois de me téléphoner. Et, sous je ne sais plus quel prétexte initial (« Tu as pensé à appeler maman pour la fête des Mères ? »), de me livrer, quant au tempérament de l'intéressée en dehors de ses horaires de travail, des précisions aussi enviables qu'impudiques dans la semaine qui avait suivi son retour. Sans doute parce que j'étais considéré comme le nomade tiers-mondiste de la famille depuis mon service civil en Ouganda, à vingt-deux ans, Sylvain tenait-il, malgré son hostilité contenue, à me prouver que, lui aussi, sous ses cols de chemise à baleines et ses cachemires à échancrures isocèles, nourrissait une âme vagabonde et désintéressée.

Lorsque, quelques semaines plus tard, il m'a présenté Hidaya dans cette taverne vaniteuse de Saint-Michel où il tenait à tout prix à lui faire goûter de l'absinthe, j'ai perçu dans le premier regard qu'elle a posé sur moi le choc, mettons, du récent acquéreur d'un deux-pièces fonctionnel mais sans charme à qui l'on viendrait annoncer qu'à quelques rues de là, un atelier d'artiste deux fois plus vaste exposé plein ponant vient d'être proposé à la vente à prix d'ami.

Peut-être est-ce pour entretenir son intérêt à elle que, jugeant mon pizzaïolo assouanite trop attendu pour un informel dîner d'adieu en famille, j'avais envisagé au tout dernier moment de ressortir ma planche en polychlorure de vinyle, mon faitout en fonte et mon presse-ail du carton marqué *Vaisselle* destiné au Secours populaire. Rien que pour l'inavouable satisfaction de conforter, dans le dos de mon propre frère, sa fiancée dans l'idée qu'un type moins gourmé que lui et néanmoins attentif à une convivialité réussie était vraiment l'homme qu'il lui fallait, des yeux pers en prime. Rien que pour l'égotiste agrément de me savoir la cause des soupirs secrets de cette femme, même si elle ne me plaisait pas tant que cela, avec ses grands pieds plats et sa prémolaire nécrosée, et que je la trouvais plutôt prosaïque, avec son goût immodéré pour l'or filigrané et sa façon si maladroite d'insister sur les idiotismes du type *J'hal-lucine* ou bien *Ch'uis dégoûtée* pour laisser entendre qu'elle avait parfaitement assimilé le jargon hexagonal, un peu comme on truffe de *Fucking* ou de *You know* son anglais d'école en imaginant qu'on va passer pour bilingue.

Donc non, tout compte fait, ce n'était pas non plus pour Hidaya que j'avais fait le chemin jusqu'au centre d'achat de la banlieue voisine, dans ce sanctuaire d'ironie consentie, parmi les familles entières de fanatiques ravis, à évaluer d'un œil tout à fait dépassionné la fraîcheur des bouquets de coriandre et de marjolaine sur les étals. Si j'avais pris une telle décision, c'est tout simplement parce que cela se fait, de se donner un peu de mal pour ceux qu'on aime. Et que, malgré l'anémie d'affection que je sentais m'envahir au fil des années, il me restait encore, notamment à l'égard d'une poignée de bien-aimés, un fond disponible de mauvaise conscience.

À bout de patience, j'ai empoigné le caddie, exécuté un demi-tour et regagné au pas de course l'allée médiane du magasin. Tout en me positionnant en léger décalage de son axe à chaque virage afin de compenser l'énergie ciné-tique de la machine, je suis retourné à la quin-caillerie troquer sans hésitation mes couverts de cantine scolaire contre de la vaisselle à usage unique, une nappe de table en papier déperlant et des assiettes biodégradables à prix sacrifiés. Puis direction le rayon charcuterie prête à l'emploi, où j'ai pioché un peu au hasard parmi l'éventail de barquettes porcines et bovines sous cellophane. En dépit de leurs saveurs falsifiées par les additifs alimentaires, j'éprouverais néanmoins une aise incontestable, une fois chez moi, à soulever l'amorce arrondie de l'opercule pour libérer l'un après l'autre les emballages dans une rumeur de griffure souple et indolore.

Un saut au présentoir des conditionnements méditerranéens précuisinés, un autre aux modèles fromagers cent pour cent non bactériels, visite des crudités chlorées en sachets à soudure latérale, ponction à même les bacs de quelques fruits de saison inoxydables puis un ultime crochet par la section des médaillés de la technologie viticole, juste avant le passage obligé par les terminaux de cuisson des pâtes à pain à levure express : moins de huit minutes plus tard, je patientais perpendiculairement à l'interminable ligne de caisses, laquelle pouvait, sans trop d'imagination, évoquer un front adverse de fantassins épars et inamovibles.

Devant moi, une cliente en sandales de bain élastomères et tatouée sur la cheville d'un papillon à l'envol manipulait de dos d'encombrants packs de bouteilles d'eau minérale à l'intérieur de son chariot. Elle se penchait en extension sur ses muscles jambiers fléchisseurs chaque fois qu'elle s'étendait vers la tête du trapèze métallique. Dans un claquement du caoutchouc des semelles sur son talon nu, l'axe de ses mollets pivotait légèrement, et alors le lépidoptère semblait décamper pour de bon.

C'est Stanley qui a sonné le premier. Il était seul. Un gel coiffant ultrafixant maintenait l'une des mèches de sa chevelure en apesanteur et ses deux oreilles étaient obstruées par les écouteurs du casque de son ordiphone. Il tenait le terminal mobile dans une main, et la seconde était agrippée à la cordelette d'un petit sac en polyester qu'il avait passé autour de son épaule.

« Tu as toujours ta machine à laver, j'espère ? » il s'est assombri dès le seuil de la porte d'entrée tout en désignant son sac de la main qui tenait le téléphone. « Il faut juste que je la rebranche », j'ai répondu après une fraction de seconde d'hésitation. Je me suis retenu de lui indiquer que l'avant-veille j'avais consacré une matinée complète à éradiquer au trichloréthylène les traces de marne qui maculaient le hublot de l'appareil, à éponger les spores fongiques qui avaient proliféré dans les plis du joint de caoutchouc ainsi que dans la cellule réservée à l'adoucissant textile au sein du compartiment à lessive. À désincruster au cure-dent les résidus de cinq années d'ensalissement dans les jointures des rebords du plateau, à dissoudre au coton-tige imbibé d'alcool modifié le dépôt noirâtre accumulé entre les dents plastifiées des boutons de commande du cadran, bref, à rendre aussi présentable que possible mon lave-linge avant que les services de dépose de matériel d'une association bénévole d'entraide ne passent pour procéder à son enlèvement.

J'ai longtemps pensé que, d'abord parce qu'il était mon fils, ensuite parce que, n'ayant d'autre choix que de l'aimer, je n'avais aucune raison de présupposer quoi que ce soit de défavorable à son endroit, j'ai longtemps voulu penser que mon fils n'était pas plus sot qu'un autre. Dans les mois qui avaient suivi sa naissance, j'avais même partagé avec sa mère une certaine fierté lorsque le pédiatre, après l'avoir mesuré et pesé, nous avait assuré que Stanley se situait dans une moyenne supérieure de croissance des garçons du même âge. Il faut dire que c'était avant la mise en application d'une directive du ministère ordonnant aux éditeurs des carnets de santé de mettre à jour leurs bases de données statistiques, lesquelles étaient toujours indexées, au début des années 1990, sur des chiffrages remontant aux Trente Glorieuses, lorsque la taille moyenne des jeunes conscrits mâles du service militaire avoisinait le mètre soixante-douze.

Comme la plupart des parents, je me suis ému de ses premiers pas ainsi que des premiers mots qu'il a prononcés de façon intelligible. Mais contrairement à la plupart des parents, je me félicite d'avoir tôt compris qu'il était inutile de s'imaginer que votre enfant est doté de meilleures dispositions que ceux des autres. De n'avoir jamais pu concevoir sérieusement un seul instant que, plus tard, il intégrerait les grands corps de l'État, se produirait en soliste au sein des philharmonies des capitales occidentales majeures ou incarnerait la nation dans une discipline olympique de combat. Et, ainsi, de n'avoir jamais ressenti la concupiscence que peuvent susciter chez la plupart des parents du monde les parents des enfants qui, eux, réussissent vraiment.

J'étais bien forcé d'admettre qu'à dix-neuf ans, son bac obtenu grâce à de récents impératifs de clémence des jurys imposés par une Éducation nationale en proie à de sévères coupes budgétaires et ses cours de judo et de piano abandonnés depuis son entrée en phase 2 de l'échelle de Tanner de l'évolution pubertaire, mon fils n'avait toujours pas révélé de dispositions intellectuelles ou physiques notables. Soyons tout à fait franc : avec sa suffisance obtuse, avec pour unique source de culture générale et d'information le portail généraliste de son fournisseur d'accès à internet et les couvertures des gratuits du métro, avec son vocabulaire de bande-annonce commerciale pour compilation des tubes de l'été et sa prédilection écrasante pour le prêt-à-porter cintré et les téléphones intelligents, il incarnait un archétype assez convaincant du petit con d'époque.

« Ton amie n'est pas venue ? » j'ai néanmoins demandé avec sollicitude tout en lui emboîtant servilement le pas vers la salle de bains. J'essayais toujours, en présence de Stanley, de compenser la piètre estime dans laquelle je le tenais par une excessive humilité. Une façon comme une autre de m'en excuser et de l'en protéger, mais dont, en dépit de sa simplicité, je crois qu'il n'était pas dupe.

« Elle va arriver », il a marmonné sans prendre la peine de se retourner ni d'ôter les oreillettes de ses conduits auriculaires. Il a calé son téléphone dans la poche fessier de son jean et s'est agenouillé face au lave-linge. Après avoir ouvert le hublot, il s'est mis, avec une délicatesse et une concentration qui contrastaient singulièrement avec son humeur traditionnellement boiteuse, à retirer un par un de son sac des effets féminins à coloris braillards : tops, push-ups, brassières, nuisettes, shorties, bikinis, socquettes. Apercevant un tonga tulle et dentelle et visualisant aussitôt le pénil épilé qui s'y était bridé puis sans doute offert à mon fils, j'ai préféré baisser les yeux et transférer mon émotion sur la persistance saumâtre d'un sillage laissé jadis par une goutte rebelle de rouille échappée de la trappe renfermant le bouchon de pompe.

« Sympas, tes nouvelles tenues », je l'ai invité à plaisanter en me baissant pour aller en vain poncer du pouce l'indélébile résidu sur la machine, et tout en me demandant si, en 2011, la contraction *sympa* malsonnait tout autant que *cool* aux oreilles d'un jeune adulte, ou bien si elle bénéficiait désormais d'une sorte d'effet rétroactif au second degré. « C'est pas les miennes, c'est celles de Maud », a répondu Stanley, toujours en refus obstiné de sacrifier à la moindre profondeur de champ verbale. Alors qu'il venait d'introduire un bustier menthe à l'eau dans le tambour et qu'il s'apprêtait à saisir un nouveau textile au fond du sac, il s'est interrompu pour tourner vers moi de petits yeux tout à fait dépourvus d'aménité : « Ça te pose peut-être un souci, que ce soit pas mes habits à moi ? » « Ah non, pas du tout, vas-y, ça me fait plaisir, au contraire », j'ai menti du tac au tac pour dissimuler mon dépit, tout autant consterné par les insinuations mesquines de Stanley que par son emploi parfaitement décomplexé du mot *souci*, lequel, dans son acception récente, demeurait à mes yeux une contribution au patrimoine linguistique national plus démoralisante que tous les barbarismes du jargon financier réunis.

Une fois le contenu du sac entièrement transféré dans le lave-linge, Stanley a refermé le hublot, s'est redressé tout en frottant dans un aller et retour caractéristique ses mains l'une contre l'autre, un peu comme s'il venait de passer une heure et demie à boulonner le châssis cambouisé d'un véhicule tout-terrain. Puis, portant avec une extrême précaution le bout de ses doigts vers sa boîte crânienne, il a vérifié que sa mèche de cheveux en équilibre oblique au-dessus de son front n'avait rien perdu de sa vigueur au cours de l'opération, avant de couler sa main vers la poche postérieure de son jean et d'en retirer d'un mouvement surexercé son téléphone, sur l'écran tactile duquel il a vérifié qu'il n'avait reçu dans l'intervalle ni appel, ni message textuel, ni courriel.

Tandis que je lui tendais le reste de détergent réservé dans un gobelet en plastique en vue de mes ultimes lessives manuelles de sous-vêtements avant mon départ, j'ai pensé que nous avions beau être très différents l'un de l'autre, Stanley avait au moins hérité de moi cette déficience inguérissable entre toutes qui est de croire que c'est en leur faisant plaisir qu'on plaît aux femmes. « Attends », il m'a arrêté en fronçant des sourcils suspicieux, « C'est quoi, cette lessive ? » Il désignait du bord inférieur de son téléphone la poudre blanche à l'intérieur du gobelet. « Euh, de la lessive, je crois, non ? » j'ai hésité, tout autant désarçonné par le ton sans réplique de Stanley que par ses écouteurs toujours enfoncés dans ses oreilles et qui entretenaient un doute permanent quant à son degré d'implication dans la conversation. Méfiant, il a porté le gobelet à ses narines, puis reniflé. « Mais c'est bourré d'allergènes, ce truc ! » il s'est révolté en écarquillant des yeux pleins d'opprobre. Le temps d'orthographier mentalement le mot *allergène*, si atypique dans le répertoire lexical de Stanley, j'ai commencé à bafouiller quelque chose. Mais il brandissait maintenant le gobelet dans ma direction, comme un café bouillant destiné à m'être projeté au faciès : « C'est quoi, la marque ? » J'ai relevé à mon tour au maximum les muscles corrugateurs de mes sourcils pour exprimer mon impuissance : « Hein ? Quoi ?

La marque ? Quelle marque ? » « La marque, c'est quoi ? » il a répété en articulant avec une exagération calculée, estimant sans doute qu'en plaçant le sujet avant la tournure interrogative, je proposerais une réponse de meilleure volonté. Comme il subodorait que mes efforts pour me souvenir ne déboucheraient sur rien de satisfaisant, il a levé les yeux au ciel en secouant la tête pendant quelques secondes puis les a rabaissés, mais sans oser les ramener tout à fait dans les miens : « C'était pas *Le Chat*, par hasard ? C'était pas *Le Chat machine* ? »

À bout d'espérance, Stanley avait, en prononçant ses *h* successifs, involontairement retrouvé un attendrissant sigmatisme latéral d'enfance qui nous avait valu jadis de longs et coûteux mois de rééducation orthodontique. « Je ne sais pas », j'ai soupiré en essayant de refroidir mon ton d'une nuance de lassitude pour rappeler à mon fils que le père, c'était moi. Il a hésité quelques instants puis, dans un geste de dépit, a tiré à lui le bac à produits lessiviels pour y déverser cul sec le contenu du gobelet. Puis, plantant de nouveau son regard au niveau du pli épicanthal de ma paupière : « Tu n'as pas de vinaigre blanc de ménage, j'imagine ? » J'ai secoué la tête à mon tour. « Même un sans marque ? » J'ai à nouveau fait *non* de la tête, mais tout en m'astreignant cette fois à conserver aussi longtemps que possible mes yeux clos, un stratagème facial présentant à la fois l'avantage d'éviter de soutenir le regard de Stanley et de donner à ma négation un tour suffisamment dégagé pour finir de le dissuader tout à fait.

À contrecœur, il a refermé le compartiment et programmé sur le cadran des commandes un lavage à quarante degrés combiné à un projet d'essorage de huit cents tours-minute. Le visage tendu, il s'est ensuite agenouillé face au hublot pour s'assurer que tout se déroulait comme prévu. Nous sommes restés assez longtemps silencieux l'un dans le dos de l'autre, à écouter les grondements spécifiques de mise en route de l'électrovanne et du thermoplongeur, le ruissellement stéréophonique de l'eau à travers les conduits latéraux de l'appareil, puis à observer le tambour métallique s'ébranler, prendre de la vitesse, accélérer jusqu'à atteindre enfin son régime de croisière. La scène me rappelait, traitée cependant sur un mode moins décontracté, cette séquence de *Stanno tutti bene* au cours de laquelle, n'ayant rien imaginé de plus efficace pour le faire cesser de pleurer, Marcello Mastroianni place délibérément son petit-fils bébé face au spectacle d'un lave-linge en marche.

J'ai pensé que, nonobstant les années accumulées de ressentiment à mon égard qui pouvaient justifier son silence, Stanley appartenait structurellement à cette classe d'individus que la présence d'autrui ne rend pas plus polis ni plus prévenants que s'ils étaient tout seuls. Ou, formulé un peu différemment, à l'espèce de ceux qui ne s'aventurent jamais à manifester la moindre attention aux autres si ce n'est dans leur propre intérêt, ou bien au seul motif de finir par leur fourguer leur petite propagande personnelle, soit, convenons-en, à peu près tout le monde.

« C'est tout ce que ça te fait, que je m'en aille ? » je me suis impatienté à mon tour en tâchant de camoufler ma rancœur. De son côté, Stanley a consenti à tourner la tête de quatre-vingt-dix degrés pour m'offrir son profil où, malgré la ligne encore vivace de l'arcade sourcilière, je pouvais prévisualiser les récents affaissements cutanés de mon propre visage : sillons léonins et nasogéniens, pattes-d'oie et, surtout, les plis disgracieux de poches qui, depuis quelques mois, non contentes d'empeser mon regard, se prolongeaient désormais jusqu'aux pommettes en deux lignes parfaitement symétriques qui ressemblaient à ces stries provisoires qu'un long sommeil sur des draps mal tendus peut creuser sur vos joues.

« Tu vas où, déjà ? » il m'a concédé d'un ton distrait. Avant d'ajouter dans un sourire trop vert : « Je me souviens juste qu'il y a *chérie* dedans. » « Pondichéry », j'ai précisé. Puis, me composant une expression d'acide amabilité : « Tu pourrais enlever tes écouteurs pendant que je te parle, s'il te plaît ? » Surpris par cet accès inattendu d'autorité de ma part, il a ôté sans récrimination les écouteurs de ses oreilles, même si la tranquillité avec laquelle il s'est exécuté me laissait percevoir qu'il aurait tout aussi bien pu refuser pour m'abandonner alors à mon indécision et mon impuissance. « Ah oui, Pondichéry. C'est en Inde, c'est ça ? » J'ai approuvé avec brièveté, sans illusion sur le degré de fantaisie de ce que le mot *Inde* pouvait bien stimuler dans l'esprit de Stanley.

« Et pourquoi là-bas ? Qu'est-ce qu'il y a de spécial ? » il a persisté du même air désinvolte avant de se retourner vers le lave-linge pour adresser un œil perplexe au tambour qui venait brutalement de s'interrompre. « Non, rien de particulier », j'ai répondu avec une ironie qu'il n'avait aucune chance de saisir. « C'est juste que j'aime bien, c'est tout. » « Ah, O.K. », il a commenté mécaniquement, rassuré par le bourdonnement du tambour qui, au terme d'une arrivée d'eau complémentaire, reprenait le cours de son programme.

J'étais sur le point de lui enjoindre d'aller se laver les mains pour m'aider à la cuisine à disposer la charcuterie sur les assiettes en carton lorsqu'on a sonné à l'interphone. « Laisse, j'y vais », il s'est animé tout en se précipitant vers le hall d'entrée. « C'est toi, poupoute ? » il a poursuivi d'une voix brusquement adoucie dans le combiné mural. Un instant, j'ai envié le naturel avec lequel il était capable d'employer un terme aussi discutable que *poupoute* sans se soucier le moins du monde de l'effet que cela pouvait bien produire en dehors d'un cadre de stricte intimité. Il a raccroché, ouvert la porte principale, puis, le laissant à son attente, je suis reparti vers la cuisine.

Moins de deux minutes plus tard me parvenaient depuis l'entrée le claquement sourd de ma porte blindée qu'on referme ainsi que des échos de piétinements hésitants sur le parquet, caractéristiques de l'arrivée d'un nouvel hôte dans mon appartement. Des indications sonores qui, je dois l'avouer, avaient toujours suscité chez moi de l'angoisse bien davantage que de l'entrain, parce que me signifiant avant tout qu'on ne me ficherait pas la paix. Car il arrive que cela exige de l'effort, de devoir accueillir quelqu'un chez soi, de le mettre à son aise et d'engager la conversation. J'ai donc essuyé le bout graisseux de mes doigts dans le mou de la pile immaculée de serviettes en papier, réajusté sur mon front une vilaine mèche de cheveux qui pendait devant mes yeux, rentré les pans de ma chemise dans mon pantalon. Puis, tout en me redressant, j'ai pris une courte inspiration et je me suis dirigé vers le hall d'accueil, aussi digne et déterminé que si je m'étais destiné à pénétrer dans la salle d'un examen oral décisif auquel, dans le fond, peu importait que je sois reçu ou non.

C'est le yorkshire qu'elle soutenait au creux de son bras que, dès le couloir, j'ai aperçu en premier. Comme tous ses semblables, il était pourvu d'un cœur battant à fleur de poil qui lui conférait un air perpétuellement affolé. Il mobilisait son attention tout entière ainsi que celle de mon fils, qui réservait à l'animal des égards au moins aussi appuyés que ceux manifestés quelques minutes plus tôt vis-à-vis de mon lave-linge. En me voyant arriver, elle a néanmoins pris la peine de lever la tête : « Bonjour monsieur », elle a prononcé tout en ramenant instinctivement le chien contre sa poitrine pour le bercer de bas en haut, par petites saccades, tandis que Stanley continuait de son côté à agacer de son index le minuscule occiput et les oreilles en pointe de la bestiole.

Elle était plutôt malgracieuse, heureusement. Je me suis senti à la fois rassuré par son visage aviaire, avec ses contours étroits et son nez anguleux et proéminent planté entre deux yeux brou de noix sans malice, et quand même déçu qu'elle ne fût pas plus perturbante. Mais bon, c'était toujours cela de gagné sur l'énergie que je n'aurais pas pu m'empêcher de déployer tout au long de la soirée pour tenter d'attirer son attention tout en prenant bien soin de ne pas passer non plus pour un vieux galant.

Bonjour monsieur. À quarante-trois ans, je ne m'y faisais toujours pas. Malgré mes ridules désormais confirmées, ma canitie galopante, mon teint jaunissant, le lent émoussement de mes dents, le ternissement de mon regard, l'assèchement de mes joues et le rabougrissement général de ma silhouette, je n'avais pas l'impression d'avoir tant changé que cela, depuis mes vingt ans. C'est là une conséquence de toute la difficulté du rapport au temps qu'entretiennent les individus dotés d'une excellente mémoire : leurs souvenirs sont si précis qu'ils ne se résolvent jamais tout à fait à considérer qu'ils sont raccordés à une époque révolue. Ainsi, lorsqu'il m'arrivait de marcher dans Paris à l'heure des sorties de lycées, je me sentais sous l'empire d'identiques relents d'embarras et de timidité qu'à quinze ans à l'instant où il me fallait fendre un attroupement de jeunes. J'avais, comme à l'adolescence, l'impression que ma démarche et la coupe de mes vêtements étaient silencieusement passées au crible par une demi-douzaine de paires d'yeux impitoyables dans mon dos. Je poussais le ridicule jusqu'à chercher en coin à capter les regards féminins alors qu'en vérité, pas un seul de ces garçons ni une seule de ces filles ne songeait seulement à remarquer ma présence puisque, possédant désormais toutes les apparences extérieures d'un adulte d'âge raisonnable, j'étais irrémédiablement relégué au rang informe et sans visage des *gens*.

Je me suis avancé en tendant une main décidée dans sa direction, dans l'espoir pervers de contraindre au moins l'une des siennes à lâcher le chien. Conformément à mes calculs, mon geste l'a déboussolée. Ne sachant dans un premier temps quoi faire de ses bras, elle s'est légèrement cambrée en arrière et, enveloppant adroitement le yorkshire de sa seule main gauche, elle a empoigné la mienne de l'autre, m'offrant en outre une belle rangée de dents claires et harmonieusement alignées qui venaient contre toute attente illuminer la fadeur de ses traits.

« J'ai lu votre livre », elle a dit aussitôt avec une surprenante audace. À l'expression de son regard, où transparaissait une forme de curiosité obstinée mais superficielle, je pouvais comprendre que c'était davantage le fait de rencontrer en vrai l'auteur d'un volume imprimé qu'elle avait eu le loisir de tenir entre ses mains qui éveillait son intérêt plutôt que le contenu du roman lui-même. C'est d'ailleurs le propre des médiocres lecteurs que de s'adresser à un écrivain en disant : « J'ai lu votre livre », sans qu'il soit fait référence à un titre précis, sachant que la dernière publication en date de l'individu en question remonte à près de trois ans.

« Ah bon ? » j'ai fait mine de m'étonner avec bonhomie, « Lequel ? » Prise de court, elle a cillé à plusieurs reprises, convoquant à toute vitesse dans son cerveau les éléments d'un rétablissement plausible. « Euh, je ne sais plus, moi. Le dernier, je crois. Celui où il y a un monsieur bizarre qui parle de vacances en Guadeloupe. Et quand il parle, on ne sait pas très bien s'il est encore à Paris où déjà là-bas. »

« Celui-là, c'est *Parasoleil*, l'avant-dernier », je l'ai interrompue afin de nous épargner à l'un comme à l'autre d'éprouvantes politesses. Car, dans l'épisode auquel elle faisait allusion (les deux premières pages du livre), rien d'autre que sa tendance à l'introspection ne pouvait laisser décréter avec un tel sang-froid que le personnage auquel elle faisait référence était *bizarre*. Quant à l'utilisation du temps présent pour évoquer ses vacances en Guadeloupe (la Réunion en l'occurrence), il s'agissait d'un banal flash-back, imprimé qui plus est en italique afin de ne laisser aucune possibilité au doute de s'installer dans l'esprit du lecteur.

Elle a approuvé de la tête avec insistance, semblant ragaillardie de s'être tirée d'affaire à si bon compte, à mille lieues de concevoir que, pour un écrivain infertile comme moi, en voie d'anonymisation définitive, il se révèle toujours plus humiliant de recueillir des signes de reconnaissance à mauvais escient que de ne plus se faire remarquer par personne.

« Je vous ai même vu à la télé, une fois. Je ne sais plus dans quelle émission, mais je vous ai vu, je suis sûre que c'était vous. » Tout en m'efforçant de ne pas m'attacher à cette dernière remarque, j'ai jeté un œil en coin à Stanley. Chaque fois que la conversation en présence d'un tiers bifurquait sur mon activité professionnelle, il accusait cette expression de vulnérabilité et de réprobation impuissante assez courante chez ceux dont les pères, fils, conjoints ou ex-maris écrivent des romans à forts relents d'autobiographie sans trop se soucier des effets collatéraux sur la santé mentale de leurs proches.

« Tu as fait le linge, au fait ? » en a profité Maud à son intention exclusive. À présent tout à fait désinhibée, la jeune femme avait saisi les deux pattes avant de l'animal pour les tapoter en cadence sur le bout de ses lèvres tendues en goulot de bouteille tandis que Stanley, s'étant frayé un passage vers le ventre du yorkshire, tentait tant bien que mal de lui imposer lui aussi sa part de papouilles. « Oui », a répondu mon fils avant de marquer un temps d'hésitation au cours duquel il a bien pris soin d'éviter mon regard. « Mais je n'ai pas mis d'assouplissant. Mon père n'en a pas. »

Eussions-nous été un tout petit peu plus intimes Maud et moi, je ne doute pas qu'elle m'aurait adressé une remarque cinglante. Au lieu de cela, elle a brusquement cessé de jouer avec les pattes du chien, a ouvert une bouche aux velléités réprobatrices pour me concéder finalement un « Tant pis, ce n'est pas grave » qui ne pouvait sonner plus faux. Et comme l'animal émettait à présent une série d'aboiements suraigus provoquant chez ses maîtres un redoublement de gémissements attendris et autres délicatesses tactiles, j'ai préféré discrètement m'éclipser en direction de la cuisine où, me remettant à la tâche avec méthode, j'ai pu me ménager, jusqu'à l'arrivée de Sylvain, Hidaya et puis Rita, cinq précieuses minutes supplémentaires de tranquillité avec ma vaisselle jetable et mes tranches de viande froide.

Comme je n'avais pas pris le soin d'un détour chez un traiteur libanais pour compléter mes achats par un sachet de pain plat, c'est à bribes de fougasse aux olives qu'en toute hérésie mes invités venaient d'entamer le houmous lorsque Dorothée a sonné. Elle rentrait de son cours de yoga sans avoir éprouvé la nécessité d'une douche transitoire, exacerbant par tous les pores de son derme cette odeur apocrine naturellement soufrée qui, jadis, m'avait fait tant hésiter à partager de nouveau son lit au terme de notre première copulation. Passé l'amour, j'avais d'ailleurs été tout autant refroidi par ses draps en fibre synthétique qui boulochaient très désagréablement avec l'usure, vous exfoliant jusqu'au sang le torse et les omoplates.

Bien que ne m'étant jamais ouvert à quiconque de cette liaison, je pense que plusieurs indices dans le comportement de Dorothée indiquaient qu'elle avait eu cours et que l'intéressée me reprochait en sourdine d'y avoir mis définitivement un terme : cette négligence étudiée dans la façon qu'elle a eue d'éviter de me saluer lorsque je suis allé lui ouvrir, et puis cette modération forcée dans sa démarche lorsqu'elle est entrée dans mon appartement, qu'elle connaissait pourtant très bien pour y avoir éclusé à la cuisine davantage de tasses de thé et visionné au salon davantage de disques vidéonumériques que je ne l'aurais en réalité souhaité, et s'être fait couler sur mon insistance dans ma salle d'eau presque autant de bains que de fois où nous nous étions unis, ne disposant pas d'installations adéquates chez elle et, à l'instar de beaucoup de femmes à la propreté contestable, ne consentant à une toilette complète qu'à condition que ce soit dans un bain parfumé et moussant.

J'ai refermé la porte d'entrée et nous sommes allés rejoindre les autres autour de la table basse du salon. Après avoir salué tout le monde d'un sourire qui, par le jeu d'un arc dentaire trop étroit, laissait entrevoir ses amygdales palatines, Dorothée s'est enfoncée dans le même pouf où je l'avais prise pour la dernière fois, épisode mémorable surtout pour m'être juré, tandis que je peinais à trouver mes marques parmi les dizaines de milliers de microbilles en polystyrène expansé du meuble qui se dérobaient facétieusement sous le poids de nos deux corps emboîtés, que ce serait, précisément, la dernière fois.

« Ça ne te manquera pas, là-bas, le pain français ? » m'a demandé Sylvain avec une ironie légère tout en laissant entrapercevoir dans sa bouche le brouillon d'un bol alimentaire ponctué de fragments noirâtres, probablement les bouts d'olives dont était farcie la fougasse. « Il y a de très bonnes boulangeries en Inde, tu sais », j'ai répondu sur un mode épanoui frisant la niaiserie qui avait pour seul but de crisper Sylvain. Je lui étais néanmoins reconnaissant d'avoir, par sa question parfaitement ordinaire, permis d'initier la première vraie conversation de groupe de la soirée.

« Parce qu'à Mayotte », il a poursuivi en posant une main indulgente sur le long adducteur de Hidaya, gainé d'un jean délavé outrageusement serré, lequel, assorti à sa chaînette de cheville dorée d'érotomane prodigue, lui donnait un air beaucoup moins sage qu'elle ne cherchait à le paraître, avec son collier de perles de culture et son tissage postiche de cheveux cent pour cent naturels monté en brushing, « Parce qu'à Mayotte, c'est pas pour être méchant, mais la baguette, elle n'a de baguette que la raideur. »

Pour adoucir sa remarque, il a décoché un sourire patelin à Hidaya, qui, en fait de réponse, lui a rétorqué une grimace irrésolue, n'osant, comme beaucoup de jeunes femmes du tiers-monde rompues au contact de mâles blancs convaincus de la supériorité des sociétés occidentales, contrecarrer leurs propos désagréables vis-à-vis de leur culture d'origine, quand elles ne choisissent pas de les proférer elles-mêmes avec hauteur pour se rendre intéressantes. Quant à Sylvain, bien que persuadé depuis son récent Pacte civil de solidarité contracté avec Hidaya d'appartenir à une frange résolument progres-siste de Français, insoupçonnables de chauvi-nisme et de racisme ordinaires, il incarnait la preuve éclatante que l'on pouvait, au sein d'une même fratrie, rencontrer sur la question les dis-positions d'esprit les plus contradictoires : qu'il puisse intimement considérer que la baguette de pain de Mamoudzou n'égalait pas celle de son sempiternel artisan boulanger de la rue Poliveau, je pouvais comprendre. Mais ne pas résister au mauvais goût de l'avouer avec une franchise benoîte, sans poliment chercher à dissimuler mon mépris et ménager la susceptibilité de ma fiancée désavantagée, ça jamais.

« C'est vrai qu'il est superbon, ce pain », a renchéri Rita avec une sérénité que je ne lui avais pas connue depuis longtemps. D'ordinaire, en jeune femme sujette depuis l'adolescence à des troubles de conduite alimentaire, elle ingurgitait en silence au cours des repas de famille, trop occupée à essayer de se faire oublier afin de régler toute seule ses comptes avec son assiette. « Carrefour », j'ai rétorqué pour tout commentaire en empruntant un sourire de réclame télévisée, certain qu'à l'exception peut-être de Dorothée, l'ironie ne serait relevée par personne.

« Ah bon ? » s'est étonnée Hidaya, qui s'appliquait avec maladresse à adopter un ton de femme du monde aussi *Français de souche* que possible. « Nous aussi on a été à Carrefour il y a deux semaines, mais on n'en a pas vu. Hein, chéri ? » Elle avait involontairement roulé le *r* de *chéri* tout en posant à son tour une main manucurée d'épouse modèle sur la cuisse de Sylvain. Dorothée, qui réprimait un fou rire, me fixait avec des yeux insistants, exigeant de ma part un signe qui l'assurerait qu'elle n'était pas seule au monde à trouver grotesque Hidaya. Quant à Sylvain, qui ne semblait pas du tout embarrassé par les affectations ni par la fadeur des déclarations de sa compagne, il s'est contenté d'un simple hochement de tête approbatif puis a levé vers ses narines un gobelet en carton rempli de chiroubles pour en humer le bouquet.

Au fond, ai-je pensé en observant mon frère tremper ses lèvres tout aussi purpurines que le breuvage lui-même, *au fond, Sylvain est un type pataud mais pas méchant. Dans l'affaire, le vrai monstre, c'est moi.*

Seuls Rita, Sylvain et Hidaya s'étaient servis en brugnons sans maronner. Sylvain en trentenaire réfléchi soucieux de diététique, Hidaya par mimétisme conjugal, et Rita pour se purger la conscience avant son prochain raid en solitaire au rayon confiseries et biscuits d'une supérette des environs. Comprenant que je n'avais rien prévu de plus charmeur pour le dessert, Stanley n'a pas caché son dépit au moment où je lui ai tendu la cagette de drupes, déclinant l'offre avec rogne. Maud, elle, a refusé tout net, arguant qu'elle ne consentait à manger de fruits que sous forme de sorbets ou de yaourts aromatisés. Quant à Dorothée, une main posée sur son abdomen et grimace à l'appui, elle a déclaré dans un vain euphémisme qu'elle ne les digérait pas. Bref, un ultime dîner à mon appartement s'achevait, organisé au prétexte d'adieux qui, dans le fond, n'émouvaient personne. C'était cela, la famille : une somme de solitudes uniquement liées par des obligations de bouche.

« Tu es sûr que tu ne veux pas qu'on t'accompagne à l'aéroport, samedi ? » m'a néanmoins demandé Sylvain, dont la tournure interronégative trahissait une motivation exactement inverse à sa proposition. Nous venions de gagner la cuisine depuis le salon où Maud, qui ne semblait pas nourrir le moindre scrupule à demeurer la seule assise tandis que tout le monde s'était levé pour débarrasser, pinçait entre son pouce et son index des tranches entières de bresaola que son yorkshire attaquait de ses canines miniatures puis mastiquait farouchement à grand renfort de tics oculaires. Stanley, lui, après avoir distraitement déposé quelques verres et assiettes en carton usagés dans l'évier en prévision d'une improbable vaisselle, s'était rapidement rendu à la salle de bains. Il avait récupéré son linge propre dans la machine et s'ingéniait à présent à lisser chaque vêtement sur le rebord en acrylique de la baignoire afin d'en faire disparaître les plis occasionnés par l'essorage automatique. Sachant mon aversion pour la fumée de cigarette, Dorothée s'était penchée à la fenêtre de la cuisine pour griller à l'air libre une Chesterfield digestive, dans une posture exagérément cambrée qui était sans nul doute destinée à ranimer chez moi d'anciennes convoitises. Quant à Rita, elle n'avait pas quitté les toilettes depuis dix bonnes minutes, ce qui me laissait supposer qu'elle s'y employait à vomir son dîner tout aussi exhaustivement qu'elle l'avait ingurgité. Enfin, Hidaya, beaucoup plus à son aise dans cette attribution, tenait avec fermeté et grand ouvert entre ses bras écartés un sac ménager renforcé de cinquante litres à l'intérieur duquel, comme prévu, je prenais un plaisir réel à faire disparaître tout indice de la pénible réunion qui venait d'avoir lieu.

« Certain », j'ai répondu à Sylvain sans rien laisser deviner de ce que son manque de conviction me heurtait, et bien qu'en vérité cela m'eût accommodé d'économiser les soixante euros minimum du prix d'une course en taxi jusqu'à Roissy. Soulagé, il a néanmoins haussé les épaules tout en me présentant le plat de ses deux mains d'un air impuissant, comme si insister eût été peine perdue. « Vraiment ? » est intervenue Hidaya avec, dans la voix, une nuance de déception si sincère qu'elle s'en était laissée aller à un nouveau roulement labiopalatal. Elle semblait me demander entre les lignes si mon refus signifiait aussi que ses propres charmes, tout compte fait, me laissaient indifférent. J'ai approuvé calmement de la tête, mais en prenant soin de ne pas rencontrer son regard afin de laisser planer un doute quant à cette dernière supposition. D'une main vigoureuse, elle s'est mise à secouer le sac-poubelle sur la paroi duquel une assiette tartinée de tarama était restée collée. « Mais on ira lui rendre visite en Inde », elle a ajouté en interrogeant du regard Sylvain qui venait subrepticement de vérifier l'heure qu'il était sur le cadran de son téléphone portable. « Hein, chéri ? » elle a complété aussitôt non sans insolence, ayant aligné d'affilée trois irréprochables *r* dorso-vélaires.

Stanley et sa sœur m'ont rejoint à la cuisine peu après le départ de Sylvain et Hidaya, alors que j'épongeais quelques miettes fugitives de pain sur la paillasse, conscient sans émotion que c'était la dernière fois de ma vie que je me livrais à ce rituel ménager en cet endroit précis. Ils venaient de toute évidence de se concerter pour passer quelques minutes avec moi en tête à tête avant de rentrer chez Nathalie, leur mère. Cela se devinait à cette impatience contenue qui se dégageait de chacun de leurs mouvements.

Après m'avoir gratifié d'un « Ça va ? » purement rhétorique, Stanley s'est assis à la table de formica et a entrepris de rouler serré chaque vêtement défroissé encore humide avant de le disposer au fond de son sac en polyester, tout aussi précautionneusement que s'il s'était agi de pentrite en pains. Rita s'était adossée au mur. Avec une frénésie comparable à ses excès de glucose, elle s'était mise à racler de ses ongles d'hypothétiques peaux mortes à la surface de ses bras et de ses épaules.

« Ça va aller ? Je ne vais pas trop vous manquer ? » j'ai demandé tout en ouvrant le robinet afin d'y rincer mon éponge. « Ben, si, quand même », a marmonné Rita qui devait penser que ne rien répondre m'aurait fait de la peine. Tout en sentant au creux de ma paume la mousse polyuréthane s'épanouir sous l'effet de l'eau, j'ai tourné la tête vers ma fille pour lui proposer à mon tour un sourire en demi-teinte. Une aspérité quelconque du côté de son pouce s'étant révélée plus tenace que prévu, elle s'y attaquait à présent à coup d'incisives. Un mètre plus loin, Stanley, toujours absorbé par ses linges à ordonner, avait quand même pris entre-temps la liberté de se renfoncer dans l'oreille droite l'un des deux écouteurs intra-auriculaires de son Samsung. Après des années passées à m'imaginer que mes deux enfants ne devaient leur conformisme et leur indolence qu'à leur jeune âge, j'étais bien forcé aujourd'hui d'admettre qu'ils les tenaient de Nathalie, et qu'en conséquence il ne me serait plus permis d'envisager avec eux de complicité possible qu'autour de considérations pratiques, essentiellement l'argent.

« Vous viendrez me voir, là-bas ? » je me suis cependant risqué en coupant le débit du miti-geur. « Évidemment, je vous achèterai votre billet. » Pour toute réponse, j'ai obtenu quelques grosses secondes d'un silence ennuyé au cours duquel chacun attendait de l'autre qu'il se mouille en premier. « Pourquoi tu ne viendrais pas, toi, plutôt ? » s'est finalement sacrifié Stan-ley avec une morgue triomphante, un peu comme s'il venait de contrecarrer in extremis une ten-tative d'échec et mat de l'adversaire.

Ignorant délibérément son intervention, j'ai attrapé un torchon de coton sergé pour m'y sécher les doigts : « Ça ne vous intéresse pas, de connaître autre chose ? Il n'y a pas que la France dans la vie. » J'ai aussitôt regretté mon observa-tion, prenant conscience que, aux yeux de deux individus âgés respectivement de vingt et seize ans en 2011, à l'heure du transport aérien à prix plancher, des réseaux sociaux d'internet à centaine de millions de fidèles et des chaînes multinationales de prêt-à-porter, elle devait sembler aussi incongrue que se référer au Minitel ou au 45 tours.

« Tu sais », j'ai dit à Rita en empoignant le balai niché dans l'interstice séparant le frigo du mur porteur nord de la cuisine, « tu sais qu'à Pondichéry, il y a même un lycée français dans lequel tu pourrais passer ton année de terminale et les épreuves du bac ? C'est un très beau bâtiment colonial blanc, le plus ancien centre d'enseignement du français d'Asie, avec la mer à deux cents mètres. Les élèves y viennent à vélo ou en *bajaj*, la cour est pleine de plantes exotiques. Je suis sûr qu'en insistant un peu, je pourrais te faire inscrire pour la rentrée de septembre. Qu'est-ce que tu en penses ? Ce serait amusant, non ? » Le balai toujours en attente dans ma main, je la fixais avec une expression que l'on pouvait sans trop d'emphase qualifier de convaincue. « Bâtiment colonial », « plus vieil établissement d'Asie », « plantes exotiques », « la mer » : *Encore des notions qui n'ont pas la moindre importance à ce stade de leur évolution*, j'ai pensé, mesurant rétrospectivement ma propre incapacité, au même âge, à me rendre compte que l'aire de récréation de mon lycée s'apparentait esthétiquement à une cour de maison d'arrêt et que, plus généralement, Paris était une ville malpropre et malcommode peuplée d'individus haineux.

Rita, qui réfléchissait à un nouveau moyen de m'éconduire en douceur, était à présent en train d'examiner la pointe de ses cheveux en quête de fourches rebelles. « Et même pour toi », je me suis tourné vers Stanley en désespoir de cause, « Même pour toi ce ne serait pas mal. Ça pourrait te donner des idées en attendant de trouver un boulot à Paris, et puis te permettre d'améliorer ton niveau d'anglais. Non ? » Fourrant d'ultimes habits dans le sac, Stanley a émis un bref grognement nasal qui lui offrait la possibilité, comme à sa sœur, de ne pas avoir à se prononcer tout en suggérant un refus. Un court instant, j'ai éprouvé le désir de le saisir par sa houppette gélifiée et de lui heurter violemment le visage contre le rebord mélaminé de la table, uniquement pour la satisfaction de voir enfin enfler ce mince filet de lèvres que, de surcroît, il se plaisait à garder lascivement entrouvertes, probablement afin de mieux les assortir au *négligé* intentionnel de sa mèche capillaire.

J'ai patiemment expiré mon agacement puis je me suis accroupi au pied du manche du balai. Un long ruban de moutons de poussière était retenu entre les fibres de nylon de la brosse, les uns reliés aux autres par quelques faisceaux de cheveux noirs d'une bonne cinquantaine de centimètres chacun. Il m'a fallu quelques secondes de réflexion pour me souvenir qu'ils ne pouvaient avoir appartenu qu'à Viviana, une

Caraquena rencontrée début juin dans l'autobus 47 et qui m'avait au moins autant frappé, le lendemain matin, par le quart d'heure entier qu'elle avait consacré à se peigner dans ma salle de bains que par le volume impressionnant de cheveux qu'elle avait perdus au cours de l'opération.

« De toute façon, maman, elle voudrait pas », a fini par céder Rita, qui, comme son oncle vingt minutes plus tôt, était dénoncée par sa syntaxe. « Eh bien tant pis », j'ai conclu sans chaleur en me redressant, incapable d'humour sitôt qu'était évoquée Nathalie, « Je laisse tomber. » Davantage que de la déception, c'est un ressentiment récurrent que j'exprimais là, de constater une fois de plus qu'au mépris de tout examen raisonnable de nos bassesses respectives depuis notre séparation, leur mère et moi, c'est elle que mes enfants continuaient de favoriser. « Tant pis », j'ai répété en attaquant rageusement le bord supérieur de la plinthe ouest avec mon balai.

J'ai épousseté ainsi pendant quelques instants, tête baissée, renfrogné, espérant en vain de la part de Rita et de Stanley l'esquisse d'un remords, lorsque Maud et Dorothée sont arrivées à leur tour, probablement en panne sèche de conversation au salon. « Ii faudrait peut-être qu'on rentre », s'est adressée tout de go Maud à Stanley en évitant mon regard de façon ostensible. « Parce qu'après minuit, ça m'étonnerait que ta mère accepte qu'on utilise son sèche-linge. » « O.K. », s'est aussitôt exécuté Stanley en resserrant la cordelette de maintien du sac, puis se levant de sa chaise dans ce grincement caractéristique de l'aluminium qu'on traîne sur un carrelage de grès pleine masse.

J'avais beau être âgé de vingt-cinq ans de plus que Maud, cela m'intimidait toujours, les meneurs-nés. Ces antidotes naturels au doute qui, en dépit de la réserve qu'ils peuvent vous inspirer avec leur égoïsme et leur brutalité, finissent toujours par l'emporter sur votre délicatesse, s'attirer votre respect et vous rallier à leur bon vouloir, quand ils ne vous transforment pas carrément en servile thuriféraire. Unique bénéficiaire de la clémence de la jeune femme, son yorkshire lui-même, bien calé au creux de son avant-bras, finissait par s'apparenter à un monarque irascible avec ses petits mouvements de tête survoltés et ses bâillements agressifs.

« Bon, ben nous, on va y aller, papa », a récapitulé Stanley une fois debout. Il affectait à son tour cette expression mêlée de regret et de soulagement qu'avait eue Sylvain en me proposant de m'emmener à Roissy, m'offrant lui aussi ses mains immaculées pour tout adieu. Difficile d'éprouver un mépris complet pour la veulerie de Stanley sur la question des femmes dans la mesure où c'est incontestablement de moi que, cette fois, il avait hérité cette tare. Je pouvais uniquement me flatter de n'avoir, à son âge, jamais eu l'impudeur de ramener ma petite amie partager mon lit monoplace à l'appartement de mes parents en leur présence, pour singer ma précoce routine matrimoniale jusqu'à la table du petit déjeuner le lendemain matin.

Le temps que j'atteigne la pelle à poussière encliquetable glissée sous le placard de l'évier, Maud, Stanley et Rita étaient partis récupérer leurs affaires au salon. Seule Dorothée était restée. « Puisque tout l'monde s'en va, moi aussi j'ai plus qu'à », elle a soupiré dans mon dos avec une touche d'imploration dans la voix, bien qu'usant de cette fantaisie verbale qui demeurait la facette la plus séduisante de sa personnalité. J'ai tourné mon visage vers le sien, puis je me suis redressé tout en déboîtant d'un coup sec la pelle de la balayette assortie. De percevoir qu'elle n'attendait qu'un signe de ma part pour déjouer sa solitude l'espace d'une dernière nuit avec moi réveillait un fond de désir du côté de mon périnée. J'ai posé la pelle et la balayette sur le rebord d'une chaise, jetant au passage un œil tracassé sur les croûtes de crasse qui s'étaient accumulées le long de l'amorce de l'ustensile sans qu'au fil des derniers mois j'aie pris le temps de gratter ni javelliser tout cela. J'ai donc posé la pelle et la balayette sur la chaise puis porté une main conciliante sur la hanche de Dorothée, que je me suis mis à calmement caresser, comme si mon geste allait de soi. Glissant une paire annulaire-majeur dans la ceinture de son blue-jean, j'ai immédiatement senti le jersey extensible du pantalon de yoga qu'elle avait conservé en dessous. « Tu n'as pas chaud avec ça ? » j'ai grimacé sans cacher ma répugnance tout en retirant de la zone deux doigts chauds et humides.

« Mais qui t'a permis ? » a fait mine de s'indigner Dorothée dans un mouvement de recul relevant plutôt de la coquetterie. Sans me formaliser le moins du monde de ce simulacre ludique de rejet, j'ai récupéré la pelle et la balayette sur la chaise, puis entrepris de rassembler ma poussière en m'appliquant pour former un carré aux angles droits irréprochables.

« Hé, je plaisantais », s'est penchée Dorothée en posant à son tour sur ma nuque une main paniquée qui tâchait pourtant de passer pour du réconfort à mon intention. Je ne concevais ni gloire ni culpabilité à constater l'assujettissement auquel, bien malgré moi, je réduisais Dorothée, d'un naturel pourtant pugnace. J'ai simplement pensé encore une fois au nombre d'années que, plus jeune, j'avais perdues à me convaincre que c'est en se montrant empressé et disponible qu'on récoltait l'amour des autres, et celui des femmes en particulier. « On se retrouve après ta douche ? » j'ai demandé en rompant à regret mon carré pour en transvaser le contenu vers la partie concave de la pelle. Sans lever mes yeux du tas de particules, j'ai senti Dorothée sur le point d'émettre une nouvelle protestation, puis se raviser. C'est à ce moment-là que Stanley a fait à nouveau irruption dans la pièce. « Papa », il s'est avancé vers moi en ôtant spontanément l'oreillette de son téléphone. Alerté par son air de sollicitude tout à fait inédit, j'ai laissé ma poussière en plan pour me dresser comme un mammifère domestique avant la pâtée : « Oui, Stan ? » Je crois qu'à ce moment-là, il pouvait se lire sur mon visage combien ma propension ordinaire au sarcasme était en réalité la traduction exactement inverse de mon souhait de vibrer encore sous le coup d'émotions simples. *Oui, Stan ?* Il s'est de nouveau approché et a réduit d'un ton le niveau sonore de sa voix, comme pour une confidence : « T'aurais pas un ticket de métro en rab pour Maud ? Elle a pas rechargé son passe Navigo cette semaine. »

En me remémorant les six ou sept emménagements que, au cours de ma vie, j'avais effectués dans des appartements de location à Paris, il m'était difficile de déterminer un profil type d'agent immobilier au-delà des clichés en vigueur. En 2001, celui avec lequel nous avions rendez-vous rue au Maire, avec Pascaline, avait eu l'extravagance d'arriver en chevauchant une moto routière grand-tourisme, son casque à la main. Ce n'était pas d'ailleurs son seul exotisme. Moins de trente ans, avoisinant le mètre quatre-vingt-dix, de longues mains veineuses de modèle pour statuaire florentin de la Renaissance, vêtu de matériaux synthétiques confortables et neufs, il tenait plutôt de l'actionnaire précoce de start-up à succès. À ces attributs s'ajoutait une désinvolture enjouée à l'égard de notre contrat pouvant laisser penser qu'il était venu remplacer au pied levé un oncle ou un beau-père. Pascaline ne s'y était d'ailleurs pas trompée. Elle d'ordinaire si observatrice et encline au commentaire piquant, qui, manifestement sous le charme, n'avait pas osé produire la moindre remarque à son sujet une fois qu'il fut reparti, lorsque nous nous sommes retrouvés tous les deux au milieu du living-room absolument vide, avec nos pas qui résonnaient contre les cloisons repeintes à neuf et trois jeux de clés identiques qu'il ne nous restait plus qu'à apprivoiser.

Boulevard de Charonne, en 2003, Prudence et moi avions signé pour trois ans un bail que je devais résilier largement avant terme en présence d'un quinquagénaire qui arborait, entre autres particularités, une barbe taillée façon Franz Josef combinée à l'une de ces ébouriffantes moustaches Guillaume II qui ne doivent leur tournure qu'aux vertus de la pommade hongroise et de la cire de maintien. Il portait également un complet-knickers en tweed de Saxe à chevrons, une casquette club assortie, un nœud papillon en coton surpiqué ainsi qu'une montre de gousset à remontoir d'or rose. En observant ses incisives supérieures linguoversées et jaunies de maniaco-dépressif sous dépendance médicamenteuse, il m'est apparu évident que l'individu consacrait à sa mise extérieure un soin et une hargne inversement proportionnels à l'intérêt que devait lui inspirer sa profession.

Car c'est uniquement cela, en somme, que je pouvais aujourd'hui définir de commun à tous ces hommes : leur habileté miraculeuse à trouver pour leur voiture de fonction des places de stationnement jamais trop éloignées des appartements qu'ils ont pour mission de faire visiter, et leur profonde désaffection pour le métier.

Gérard Lozès, lui, avait simplement pris cinq ans. Je ne me suis d'ailleurs souvenu avec précision de son visage de mai 2006 que lorsqu'il m'a tendu la main. Scrupuleusement les mêmes traits et la même expression, altérés par cinq années de sénescence cellulaire généralisée. Je ne saurais d'ailleurs imaginer d'illustration plus achevée de l'inutilité navrante du temps qui passe que ceci : un agent immobilier de taille moyenne en veste légère vous offrant rigoureusement le même sourire et la même poignée de main le jour de l'état des lieux final de votre appartement de location que celui de la remise inaugurale des clés, cinq ans auparavant.

Malgré cette mi-décennie passée à faire mienne cette maison, à y adjoindre à celles des générations de précédents locataires mon odeur dans les particules d'azote et de carbone de l'atmosphère captive, à y disperser dans chaque pièce et par dizaines de milliers mes empreintes génétiques, à y développer des mètres cubes de réflexions et de pensées, des kilogrammes de concentré d'humeurs de toutes sortes, à y creuser insensiblement le bois du parquet de mes pas répétés, à y apprivoiser les caprices particuliers d'une poignée de porte ou d'une chasse d'eau, à m'y laver, y écrire, cuisiner, dormir, déféquer, faire des pompes et l'amour, malgré tout cela, Gérard Lozès était investi du subtil pouvoir de m'y faire de nouveau sentir un étranger comme au premier jour, rien qu'en arpentant les pièces de son pas souverain de technicien du mètre carré et du plan de ravalement.

« En Inde ? Où ça, en Inde ? » Lozès a levé la tête, soudain animé par cette évocation géographique inattendue. À présent, il était accroupi dans la penderie qui jouxtait l'entrée, un stylo bille dans une main, et, dans l'autre, l'un de ces porte-blocs à pince de métal banalisés par les livreurs express à domicile et les médecins urgentistes dans les feuilletons américains, mais toujours à la peine dans les habitudes hexagonales. Il tenait entre ses doigts disponibles un conjoncteur téléphonique femelle qui s'était disjoint de son support mural. Le boîtier de plastique pendait à bout de câble, avec ses chevilles de fixation à l'air libre. Recouvertes de fragments de plâtre, celles-ci pouvaient faire penser à deux canines que l'on viendrait d'ôter à un portrait en marbre.

« Inde du Sud. Tamil Nadu. Pondichéry », j'ai précisé un peu laconiquement, me maudissant de n'avoir, en prévision de la visite de Lozès, pas songé à replanter grossièrement le conjoncteur dans le mur afin qu'il n'y voie que du feu. « Moi,

c'est plutôt le Nord que je connais. Le Rajas-
than, le Punjab, l'Uttar Pradesh », il a égrené
avec une feinte modestie tout en se redressant
dans un léger craquement des tendons soli-
daires de ses muscles poplités, et griffonnant au
passage une apostille dans l'une des cases de la
photocopie clippée sur sa tablette. Avec sa chemise à rayures petit prix et son téléphone portable sous étui glissé dans l'un des passants de
son pantalon, il ne lui manquait plus sur la tête
qu'un casque de chantier pour incarner à mer-
veille l'expression *Inspecteur des travaux finis.*

« Le Taj Mahal, vous y êtes allé ? » il a ajouté
en se dirigeant vers la chambre. J'ai répondu
non dans son sillage. Il s'est immobilisé au milieu
du couloir comme si je venais de lui avouer que,
Parisien depuis toujours, je n'avais jamais pris le
métro de ma vie : « Le Taj Mahal, vous avez
jamais vu ? » il a reformulé en écarquillant les
yeux. J'ai levé des sourcils incompétents et nous
sommes entrés dans la chambre.

Sur le parquet, l'ombre permanente de mon
lit avait, au fil des ans, fini par révéler en négatif
un rectangle plus clair, un peu comme un
pochoir que l'on aurait exécuté à l'horizontale.
« Ils étaient là, ces trous ? » a demandé Lozès
d'un ton de greffier en désignant quatre micro-
cavités percées à intervalles réguliers et alignées
parallèlement à l'arête d'angle du plafond.
« Parce qu'ils ne sont pas marqués, sur ma
feuille. » J'allais jurer par l'affirmative lorsque je
me suis souvenu que ces enfonçures avaient très

provisoirement servi, en 2007, à accrocher un grand nu d'elle-même dont Marie-Plume était très fière. L'ouvrage n'était resté pendu là que le temps que le goût immodéré de Marie-Plume pour les brocantes dominicales et les crooners francophones me soient devenus intolérables, sonnant par la même occasion le glas de mon unique tentative de me tourner vers des femmes plus « classiques » afin de me sevrer du commerce de toutes ces filles divertissantes mais trop imprévisibles qui avaient jalonné jusque-là mon itinéraire amoureux.

« Non, le Taj Mahal, faut voir ça », a insisté Lozès tout en promenant un regard trompeusement nonchalant aux quatre coins de la pièce. « Et de nuit, avec le son et lumière, je ne vous dis pas. » L'intensité émotionnelle liée à ce souvenir nécessitait bien un écart de procédure. Il a abaissé son porte-bloc comme on marque une trêve d'un drapeau blanc sur le champ de bataille et m'a expliqué avec un air de connivence magnanime combien il était rare d'assister à un spectacle son et lumière au Taj Mahal, et qu'il devait ce privilège à la non moins exceptionnelle qualité du réseau relationnel entretenu par le responsable du comité d'entreprise de son épouse.

« C'était *féerique* », il a conclu en détachant avec précaution les syllabes, certain d'user d'un registre verbal de choix dont, tout comme le son et lumière au Taj Mahal et le comité d'entreprise de sa femme, il était lui-même l'un des précieux dépositaires sur la planète. « Pas comme certains quartiers de Delhi », il s'est assombri en fronçant des sourcils adéquats. « Là, on voit *vraiment* ce que c'est que la pauvreté. » En insistant de la sorte sur « vraiment », on sentait que, sur ce point encore, il se flattait d'une expérience hors norme.

Il a pointé son index en direction du pas de la porte : « Elle est où, la barre de seuil ? Vous l'avez enlevée ? » J'ai baissé les yeux à mon tour. Des dépôts noircis de résine industrielle maculaient le parquet à l'endroit précis où, cinq ans plus tôt, une lamelle adhésive bombée en inox d'une cinquantaine de centimètres de long palliait en douceur une légère différence de niveau entre le revêtement de bois contrecollé de ma chambre et le linoléum du couloir attenant. À force de frottements et de microtrébuchements, l'agent adhésif avait fini par céder du terrain au bout d'un an ou deux, et la barre à angles acérés par rebiquer dangereusement en ses deux extrémités. Je m'étais donc décidé à l'arracher une bonne fois pour toutes en me promettant de la remplacer, précisément, dans les jours qui précéderaient un état des lieux à la faveur d'un hypothétique déménagement. Je n'en avais évidemment rien fait, ayant perdu au fil de ma vie adulte la capacité d'accomplir des tâches aussi anodines que timbrer une enveloppe ou remplacer l'ampoule 15 watts de mon réfrigérateur sans que le projet m'apparaisse aussi décourageant que, disons, déchiffrer dans leur intégralité les conditions générales d'utilisation d'une licence de logiciel informatique. « On ne peut pas considérer ça comme *état d'usage* ? » j'ai néanmoins demandé en désespoir de cause. À quoi Lozès a répondu du même *non* imperturbable de la tête que celui du fonctionnaire de police insensible aux récriminations de l'automobiliste après avoir bravé un feu orange indiscutablement trop mûr. « C'est comme les peintures », il a complété en faisant grossièrement tournoyer la pointe de son Bic dans l'espace, « Ç'aurait quand même été pas mal de repasser un coup. »

Mon cas s'aggravait sur le porte-bloc, ce qui n'empêchait pas Lozès de poursuivre du même accent averti ses considérations mondaines : « En tout cas, moi, dans ces cas-là, je ne donne jamais. Juste des stylos pour les enfants, rien d'autre. Parce que, si vous donnez, vous encouragez la mendicité et c'est comme ça qu'on contribue à fabriquer des générations entières d'assistés. Non, il faut s'empêcher de donner. C'est peut-être un peu dur pour eux dans un premier temps, mais c'est pour leur bien à long terme. »

Dix minutes plus tard, dans le hall d'entrée, mon trolley Delsey en polycarbonate sur le départ, les deux jeux jumeaux de clés de l'appartement restitués à Lozès, j'étais bien contraint d'admettre que rien ne m'appartenait durablement en ce monde. « Vous êtes sûr que vous ne voulez pas que je vous fasse un chèque ? », je me suis inquiété en désignant symboliquement la poche intérieure de ma veste. « Ça évitera les complications, non ? Et puis ce sera réglé une bonne fois pour toutes. » Lozès m'a interrompu d'un mouvement pacifique de la main. « Ne vous en faites pas », il a modéré dans un sourire bienveillant. « On va vous envoyer un petit recommandé et vous prélever directement sur la caution, ce sera beaucoup plus simple. Il y a des histoires de T.V.A. à prendre en compte, des barèmes. C'est un peu technique. » Il s'est délibérément avancé vers la porte blindée cinq points, a posé la main sur la poignée puis a appuyé doucement, libérant le pêne mais sans tout à fait ouvrir encore, à la manière d'un médecin raccompagnant avec tact mais fermeté son patient hypocondriaque : « Et puis, on ne voudrait pas vous gâcher le voyage. »

« Tu es sûr que tu ne voudras pas rester dormir ? » m'a demandé ma mère d'une voix aussi neutre qu'elle en était capable tandis que je consignais à dessein ma valise sous le portemanteau perroquet de l'entrée, lequel, en cette saison, n'était plus pourvu que de la casquette de promenade de mon père et d'un simple parapluie rétractable, au cas où. « Certain », j'ai répondu sur le même mode décontracté en sursis, « Mon avion décolle à dix heures demain matin. Comme il faut que je sois sur place deux heures avant pour l'enregistrement de mes bagages, je t'assure que mon Ibis Roissy, c'est la meilleure solution. » « C'est comme tu veux », a capitulé ma mère dans un geste de conciliation d'où filtraient néanmoins de nets relents de reproche. Le temps que nous changions de pièce, elle était passée à un niveau d'offensive modérée : « Je trouve juste dommage que tu ailles dépenser le prix d'une nuit d'hôtel alors qu'il y a des chambres exprès pour ça ici. »

Assis dans son bridge teinté merisier, mon père regardait à la télévision la retransmission en direct d'un match de tennis. « C'est Roland-Garros ? » j'ai demandé tout en me penchant pour échanger avec lui, comme à notre habitude, deux bises d'une excessive pudibonderie, où l'on se tendait l'un l'autre nos arcades zygomatiques plutôt que le mou franc de nos joues. Ma question était de pure convenance puisque, dès mon entrée dans le salon, j'avais identifié sans peine sur l'écran plasma la surface stabilisée de confort du court Philippe-Chatrier et son *rougisol* spécifique. Sans quitter l'image des yeux, mon père a marmonné un *oui* automatique. Il paraissait subjugué par le masque de concentration du Majorquin ambidextre Rafael Nadal qui, sur la foi de l'afficheur de score, était mené 30-40 sur son service dans un jeu décisif du cinquième set. Je me suis redressé et j'ai regardé aussi, mains sur les hanches et sourcils froncés, exagérant mon intérêt pour le jeu dans le seul espoir qu'il le remarquerait et m'en témoignerait en conséquence une forme quelconque de reconnaissance.

« Tu pourrais quand même éteindre », l'a morigéné ma mère en désignant d'un doigt profane les deux adversaires qui ahanaient sur l'écran. « On ne sait même pas quand on va le revoir », elle a ajouté avec dépit sans me regarder. « Non, laisse, ce n'est pas grave », j'ai protesté à mon tour en prenant bien soin de glisser sur la remontrance qui m'était adressée en sousmain. En vain. Sous une pluie battante d'applaudissements des quinze mille spectateurs du court central, mon père s'est à contrecœur emparé de la télécommande et a interrompu le signal.

Un silence flottant s'en est suivi, qui rappelait un peu le retour des plafonniers après le film dans une salle de cinéma, lorsque la réalité vous réapparaît brutalement, l'espace de quelques secondes, dans sa dimension la plus pesante et la plus matérielle. « Tu auras le temps de prendre un thé, au moins ? » m'a proposé ma mère en esquissant un mouvement en direction de la cuisine. J'ai approuvé de la tête, ma mère est sortie du salon et mon père et moi sommes restés immobiles l'un à côté de l'autre, lui toujours assis dans la même position face à l'écran opaque, et moi à tenter de paraître aussi disponible et accommodant que possible malgré mon envie croissante d'aller récupérer ma Delsey sous le portemanteau et de quitter la maison sans cérémonial.

Pour nous éviter l'embarras d'un tête-à-tête, j'ai attrapé à mon tour la télécommande et j'ai rallumé le téléviseur, mais tout en désactivant instantanément le son. Je pensais que mon père se tournerait vers moi et saluerait mon audace d'un sourire complice, comme dans une réclame où seraient promues des valeurs familiales fortes : la mère retenue à la cuisine, le père et le fils unis par une cachotterie inoffensive tramée dans son dos, un repas copieux en trois étapes en lieu de grande réconciliation. Sans paraître relever ce que mon geste pouvait comporter de charitable à son endroit, mon père a repris dans d'identiques dispositions son match à peu près là où il l'avait laissé.

Nadal venait de remporter le jeu et, par là, la victoire qui le mènerait en demi-finale au cours de la semaine suivante. Le temps de repasser au ralenti la balle de match, d'assister aux poignées de main échangées entre les deux joueurs et l'arbitre, à un bref retour-plateau montrant les commentateurs casqués puis aux premières images des quatre minutes réglementaires de courts métrages publicitaires, ma mère déposait sans commentaires son plateau de thé sur la table de la salle à manger, recouverte à toute heure de la journée de sa nappe de protection en bulgomme. Mon père s'est levé et nous sommes allés nous asseoir tandis qu'elle versait le breuvage dans trois tasses assorties de porcelaine de Tournai.

À en juger par le silence que, régulièrement,

venaient à peine froisser nos vibrations labiales lorsque nous absorbions le Twinings brûlant, la scène aurait tout aussi bien pu se dérouler en plein hiver autour d'une soupe de poireaux-navets-pommes de terre. C'est ma mère qui, la première, s'est décidée à redonner un souffle à la conversation : « Tu sais qu'il va dormir à l'hô-tel Ibis de Roissy, finalement ? » elle s'est adres-sée à mon père d'une voix assourdie par le fond de sa tasse. Pour toute réponse, celui-ci a pro-duit une longue négation sans espoir de la tête avant de terminer son thé d'un trait puis de reposer sa tasse avec une fermeté réservée d'or-dinaire aux bocks à bière. « Parce que, a déve-loppé ma mère cette fois à mon intention, parce que si c'est juste un problème d'horaire, ton père peut très bien t'emmener en voiture demain matin tôt. » Elle a posé sa tasse à son tour et a légèrement tendu le cou dans la direc-tion de l'intéressé : « Hein, Jean-Loup ? »

Mon père, insomniaque depuis le début de sa retraite et qui n'aimait rien tant qu'on lui four-nisse l'occasion de roder sa C3 *pack Ambiance* pour tuer le temps, ne s'est pas fait prier : « Bien sûr. » Un regain de vitalité a traversé son regard et il s'est aussitôt levé pour aller s'asseoir à l'autre bout de la pièce, à la console Empire sur laquelle avait été installé avec application un ordinateur portable tout neuf relié à un termi-nal *triple play* haut débit. Il a chaussé ses Krys de lecture et, accompagnant son geste de l'un de ces regards obliques d'hypermétrope qui peuvent à tort passer pour du mépris, il a activé l'appareil puis commencé à presser une à une les touches du clavier avec une précaution exagérément déférente, presque craintive. « En plus, tu lui ferais plaisir », m'a chuchoté ma mère qui appartenait à cette classe d'individus ne pouvant concevoir d'échanges avec leurs interlocuteurs qu'en leur distribuant, selon, des bons ou des mauvais points.

« Trente-sept minutes de trajet en récupérant la Francilienne à hauteur de Villeparisis », s'est exclamé mon père suffisamment fort pour couvrir la distance depuis sa chaise, fier de prouver qu'en dépit de ses soixante et onze ans, les sites internet de calcul instantané d'itinéraire n'avaient aucun secret pour lui. « En plus, un samedi matin tôt, il n'y aura pas encore grand monde sur la route », il a complété avec un enthousiasme qui rendait presque sa fraîcheur au poncif. « Il faudra juste prendre un tout petit peu de temps en plus pour aller faire le plein au Leclerc, je crois qu'il ne doit pas me rester plus de six litres dans le réservoir. »

J'ai porté ma tasse pourtant vide à mes lèvres pour éviter d'avoir à répondre quelque chose. *Les meilleures intentions du monde, y compris celles provenant de ceux qui vous sont les plus chers, ne s'accordent jamais aux vôtres*, voilà ce que j'ai pensé tandis que, ma bouche arrondie en cul-de-poule, je me renversais tête en arrière en quête d'un improbable marc de thé sucré au fond de ma tasse.

« Mais c'est de la folie ! » j'ai entendu soudain mon père s'indigner au terme d'un nouveau temps mort. Ma mère et moi avons tourné des yeux interrogateurs dans sa direction. « À partir de 99 euros la nuit, ton Ibis, c'est écrit ! Je suis sur leur site, là : c'est de la pure démence ! » Cette fois, c'est un *non* paniqué qu'il mimait avec frénésie tout en désignant l'écran devant lui. Il a pivoté à son tour et a ôté ses loupes pour me fixer avec plus d'intensité : « Tu vas aller gaspiller 99 euros *minimum* pour une chambre d'hôtel avec toute la place qu'on a ici ? » J'ai répondu en cachant mon soulagement que ma chambre avait déjà été réservée et réglée par internet. « Les réservations avec prépaiement ne peuvent faire l'objet d'aucune modification ou annulation », j'ai détaillé dans des termes probablement assez voisins des libellés officiels formulés par les services juridiques du groupe Accor.

Contrarié, mon père s'est tourné vers son ordinateur. Il a refermé avec prudence le programme en cours d'exécution sur son écran, attendu pendant quelques courtes secondes supplémentaires d'avoir la confirmation qu'il n'avait rien commis d'irréparable sur la machine, a reculé sa chaise. Puis il s'est levé et a traversé le salon en sens inverse pour revenir s'asseoir à côté de ma mère. « Si ça t'amuse de gaspiller ton argent », il a ponctué d'un ton faussement dégagé tout en se resservant une tasse de thé tiède. Dès la première gorgée, il a reposé le récipient sur la nappe : « Est-ce qu'il t'en reste, d'ailleurs, de l'argent ? » Sa question trahissait un authentique fond d'inquiétude. « Parce qu'on ne te voit plus du tout, dans les journaux », il a poursuivi. « Quand j'entre ton nom sur Google et que je clique sur *Actualités*, il n'y a rien. Ce n'est pas très bon signe, ça, non ? »

J'ai encaissé la remarque avec un sourire proportionnellement inverse à l'aigreur de la note qui venait de tintinnuler dans ma poitrine. Tout béotien qu'était mon père en fait d'internet, d'édition littéraire et de gestion de notoriété, il avait frappé dans le mille. Car, peu importe ce que l'on pouvait en juger, l'écho et la légitimité d'un écrivain au sein de sa société se mesurait bel et bien aujourd'hui au nombre d'occurrences de son patronyme relevées au sein des différents moteurs de recherche d'internet, et à rien d'autre.

« C'est tout simplement parce que je n'ai rien publié depuis un moment », j'ai voulu m'expliquer, « Mais ça ne veut rien dire. » « Quant à l'argent, aller vivre en Inde, c'est une bonne façon d'en économiser. » Je me suis tu, prenant conscience que, depuis le début de la conversation, j'étais en train de collecter les cristaux de sucre éparpillés autour de ma soucoupe en les écrasant nerveusement de la pulpe moite de mon index. « Ce n'est pas une course, la littérature », j'ai néanmoins ajouté non sans dédain, bien que peu convaincu moi-même par l'argument. Au terme de quelques nouvelles secondes de silence, mon père a pris une profonde inspiration nasale tout en fronçant les sourcils, un peu comme lorsque, enfant, il me convoquait à la même table recouverte d'un bulgomme en tout point identique pour me reprocher avec sa désespérance froide mes trop médiocres résultats à l'école : « Et puis, il faut dire que ce n'est pas très gai non plus, ce que tu écris », il s'est lancé en me testant au passage d'un rapide coup d'œil. « Il faut les détendre, les lecteurs, pas les déprimer. On voit suffisamment d'horreurs aux infos comme ça. » La remarque avait beau présenter tous les symptômes du prêt-à-penser le plus sommaire, elle était sans appel. « Regarde *L'Alchimiste* », il a persévéré, tout à fait en confiance désormais. « Et puis l'autre, là, la goulée de bière, comment il s'appelle, déjà ? Tu pourrais pas essayer de faire comme lui ? Ou bien des polars ? Pourquoi t'essayerais pas plutôt d'écrire des polars, hein ? C'est bien, les polars. J'adore ça, moi, les polars. »

À nouveau, je n'avais rien de substantiel à opposer au bon sens primaire de mon père. Car, en vertu de quelle objectivité les livres à prétention « durable », inspirés et désabusés, primeraient-ils sur une littérature de loisirs instantanés ? Le sourire en coin sur les bons sentiments et les dénouements optimistes ? Le mot juste sur la formule qui fait mouche ? L'esthétique sélective sur le compromis universel ? Les poètes maudits sur les bons copains ?

Mon père balançait à nouveau lentement sa

tête de droite à gauche comme si, par anticipation, il était en train de me renvoyer à coups de tempes mes piètres éléments de justification à la figure : « Enfin, bref. » Il a relevé ses yeux vers les miens, calculé une courte pause transitoire : « Et est-ce que tu crois vraiment que c'est le moment de partir t'installer en Inde ? Et Stanislas et Rita, hein ? Ils n'ont pas besoin de toi, Stanislas et Rita ? Il va faire quoi, comme études, ton fils ? » « Il a raison, ton père », est intervenue ma mère qui, yeux baissés, caressait d'un pouce obstiné l'anse de la théière. « Quand est-ce que tu vas te décider à chercher un vrai boulot ? » a continué mon père, dopé par le tour qu'avait pris la discussion. « Ben oui », a renchéri ma mère, « Regarde Sylvain. En tant que fonctionnaire, il n'a pas de souci de salaire à se faire, lui. »

Comme c'est à moi qu'il revenait de répondre quelque chose, je me suis levé. « Je crois que je vais y aller », j'ai dit d'un ton aussi gracieux qu'était accablant le désarroi que je sentais se creuser peu à peu dans mon estomac. Je me suis penché puis, prenant de court mon père et ma mère, je les ai serrés brièvement dans mes bras, l'un après l'autre. « Et voilà, comme d'habitude », a déploré mon père en détournant son regard, « Impossible avec toi d'avoir un échange un peu sérieux. » Redoublant de sourires forcés, j'ai contourné la table et commencé lentement de m'éloigner. « C'est vrai », a lancé comme un ultimatum ma mère dans mon dos, « On ne se dit plus rien, toi et nous. »

La dernière fois que j'étais passé chez Vadel en traînant une valise remontait à l'automne, plus de dix ans auparavant. Avec mon éditeur, nous avions pris le TGV en première classe pour Marseille, où débutait ma tournée promotionnelle de *La Règle de Troie*. Michel, que le succès du livre rendait euphorique, avait tenu juste avant le voyage à payer au prix fort dans une brasserie de la gare de Lyon une bouteille de Perrier-Jouët *Belle époque* qu'à hauteur de Moissy-Cramayel il avait débouchée puis versée dans deux flûtes en plastique à pied amovible. Vers Saint-Symphorien-sous-Chomérac jusqu'aux environs de Rochefort-du-Gard, sous l'effet conjugué de l'ivresse et de la gratitude, il s'était livré à d'inhabituelles confidences touchant à son couple et à sa généalogie familiale.

À Marseille, les propriétaires de la librairie m'avaient réservé dans un quatre-étoiles du Vieux-Port une *Supérieure* de trente mètres carrés avec perspective sur le fort Saint-Jean. Un ballotin *Moulage amer* de ganaches labellisées patientait à mon intention sur le couvre-lit, et la salle de bains dégageait de lointains effluves de crème d'entretien pour cuivres et d'essences mêlées d'agrumes et de cyprès. Je me souviens encore de la chemise en popeline blanc de plomb toute neuve que j'ai passée après ma douche en cette fin d'après-midi-là, dans l'incomparable confort mental de savoir qu'avec l'argent des deux mille exemplaires de mon roman que je vendais à ce moment-là quotidiennement aux quatre coins de la France, je pourrais m'offrir dès lors à peu près autant de vêtements que je voudrais, et bien d'autres jouissives futilités.

Près de deux cents personnes étaient venues assister à la rencontre-dédicace programmée dans un auditorium en chêne blanc d'Amérique, au cours de laquelle Michel n'avait pas hésité, tandis que je lui rendais au micro un hommage insistant, à se lever de son fauteuil et monter sur l'estrade pour me passer un bras attendri autour des épaules. Au cours de l'apéritif de clôture, j'étais grisé autant qu'étourdi par l'intensité de mon implication personnelle, l'oxygène s'étant raréfié dans mon cerveau comme à l'issue d'une épreuve écrite réussie de baccalauréat. Vers 20 h 15, quelqu'un était venu me tirer par la manche pour me soustraire à la foule, en majorité féminine. Comme une vedette de la chanson pour jeunes adultes, j'avais quitté le complexe par une porte dérobée au sein d'un comité restreint et empressé. Un taxi attendait pour nous conduire par soleil couchant chez un étoilé du Michelin à terrasse panoramique de la corniche Kennedy où, fort en appétit, j'avais commandé des sarrans à la criste-marine et un pagre rôti sur verges de fenouil.

Juste avant le dessert, Michel m'avait rapporté dans un sourire obligeant qu'à son retour des toilettes, il avait été discrètement hélé par la jeune chef de rang à chignon du restaurant, laquelle lui avait demandé qui je pouvais bien être pour concentrer à ce point la ferveur et les faveurs de toute une table. Au moment de l'addition, profitant d'un instant d'inattention du maître d'hôtel, celle-ci s'était même décidée avec bravoure à venir me réclamer un autographe. J'avais tiré un portemine à embrayage de la poche intérieure de ma veste puis griffonné sur le bristol perforé qu'elle me tendait une formule de circonstance que, sans trop d'hésitation, j'avais assortie du numéro de ma chambre d'hôtel.

« Qui dois-je annoncer ? » m'a chanté depuis son desk une réceptionniste que je ne connaissais pas. Son aisance à la tâche m'a non seulement rappelé que cela faisait près de deux ans que je n'avais pas mis les pieds au siège de la maison Vadel, mais surtout permis de mesurer que l'époque était bien révolue où Maïtena n'hésitait pas à interrompre son appel téléphonique en cours pour me faire la bise par-dessus la table d'accueil en verre trempé et me demander des nouvelles de Stan et Rita.

J'ai prononcé mon nom un peu comme on évoque un vieil amour déçu. « Ça me dit quelque chose », a réagi la préposée en plissant un front concerné. « Vous êtes auteur, c'est ça ? » Exprimé sur ce mode-là, le vocable « auteur » semblait n'être destiné qu'à figurer en tête de colonne d'un tableur informatique, entre les rubriques *Livraisons* et *Fournitures de bureau*. Sans s'émouvoir davantage, elle a soulevé le bloc combiné de l'autocommutateur téléphonique, pressé une touche programmable sur le tableau des commandes, répété à voix basse mon patronyme dans l'appareil, acquiescé en silence, formulé un « D'accord » conclusif puis raccroché. « Monsieur Vadel vous prie de l'excuser, il est encore en rendez-vous, là », elle m'a dit en relevant sur moi un regard exemplairement impartial. « Si vous voulez bien patienter. »

Émerveillé par son usage spontané de formules prêtes à l'emploi que je pensais uniquement réservées aux dialogues de téléfilms, je me suis docilement dirigé vers le canapé d'angle Le Corbusier *Grand confort* qu'elle m'indiquait, où s'enfonçaient d'ordinaire coursiers casqués et représentants en cravate. Au bout de quelques minutes, parmi le va-et-vient soutenu des différents salariés et stagiaires à travers le hall, j'ai identifié immédiatement Frédérique Petitfils, coordonnatrice historique de la brigade d'une demi-douzaine d'attachées de presse des éditions Vadel. S'étant aperçue que je la regardais dans l'espoir d'un signal de sa part, elle n'a eu d'autre choix que de modifier sa trajectoire initiale et d'obliquer dans ma direction avec un sourire exagéré. « Vous allez bien ? » elle m'a dit de sa voix de nicotino-dépendante au long cours tout en me tendant une main moins polie qu'impatiente.

Je me suis remémoré, dix ans plus tôt, les dix à quinze appels quotidiens survoltés de Frédérique Petitfils que je recevais sur mon Nokia à clapet coulissant. Chaînes de télévision et de radio, presse écrite, séances photos, librairies : ces sollicitations incessantes qu'elle me relayait week-ends compris avaient fini par créer entre nous une forme de complicité de principe reposant, d'une part, sur l'estime admirative que vous vaut un succès important même auprès des professionnels les plus aguerris, de l'autre, l'état d'addiction autolâtre dans laquelle me réduisait à tout moment de la journée l'attente de nouveaux appels de Frédérique.

« Très bien », j'ai menti sur un air tout aussi urbain que le sien, songeant à mon téléphone qui ne sonnait plus du tout désormais, et aux quelques courriels de félicitations qu'à l'occasion je recevais en provenance de bibliothécaires vacataires de maisons de retraite ou de clubs de lecture de sous-préfectures. « Vous êtes sur un nouveau bouquin en ce moment ? » elle a ajouté pour la forme en amorçant une volte-face. « Pas du tout, aucune inspiration, je suis à sec depuis trois ans, je crois que je vais laisser tomber la littérature », j'ai répondu d'un seul tenant dans un rictus outrancier. « O.K., super », elle a conclu sans ironie, « À bientôt, alors. » Elle m'a salué d'un bref mouvement d'adieu de la main, s'est tournée pour de bon puis s'est aussitôt mise au pas de charge pour rattraper le temps perdu.

De trois ans mon cadet, Boris Marchepiez avait vendu près de cent cinquante mille exemplaires de son dernier roman, *Midnight Pile.* Le rendez-vous prolongé de Vadel, c'était lui. Il était en train de redescendre lentement les marches qui menaient à l'étage administratif, évoluant dans cet escalier avec une confiance de mécène, en jetant néanmoins de réguliers coups d'œil à la dérobée afin de vérifier que le petit personnel des couloirs avait bien pris note de sa présence au sein de la maison. Il précédait Michel, aigu et voûté comme à son habitude. Lorsque nos regards se sont croisés, l'ascendant tranquille que Marchepiez semblait exercer sur le reste du monde a accusé une légère altération, comparable à un saut d'image lors d'une retransmission télévisée d'allocution présidentielle.

Pour compenser de m'avoir trop facilement concédé cette fraction de seconde d'attention, l'homme a détourné aussitôt ses yeux pour souffler quelque chose à Vadel avec une ostentatoire complicité. Le temps de distribuer quelques poignées de main, ils se sont avancés tous les deux vers moi, liés par le secret d'un tête-à-tête que j'imaginais fécond en compliments réciproques et généreuses renégociations de droits. Je me suis levé du canapé avec une servilité contrainte, légèrement penché en avant, main tendue, me faisant moi-même l'effet d'un rond-de-cuir absentéiste qui tenterait veulement de se racheter auprès de son chef de service.

« Comment allez-vous ? » m'a souri chaleureusement Vadel, qui, au moins dans les apparences, mettait un point d'honneur à traiter sur un pied d'égalité tous ses protégés. « Salut », a pour sa part tenu à se démarquer sobrement Marchepiez, sans doute pour souligner notre proximité générationnelle à défaut d'autres analogies possibles. « J'ai un coup de fil important à passer et je reviens », m'a murmuré Michel en ouvrant de grands yeux qui signifiaient qu'il n'avait pas le choix. « Je vous laisse tous les deux », il a rajouté avant de saluer Marchepiez d'une pression appuyée de la paume et de s'éloigner en direction de l'escalier. Il avait dit « tous les deux » avec une humble gourmandise, comme si, pour un éditeur, rien ne pouvait se concevoir de plus emballant que de livrer à une conversation privée deux écrivains de même classe d'âge.

« Bravo pour le succès », j'ai dit d'emblée avec un fair-play qui ne trompait personne. « Merci », a encaissé sereinement Marchepiez, qui était sans doute assez intelligent pour déduire de mon compliment non seulement que je n'avais pas lu son livre, mais qu'en outre je ne le tiendrais lui-même jamais en estime suffisante pour juger qu'il méritait ce qui lui arrivait. « J'aime beaucoup la couleur du col de ton T-shirt », j'ai ajouté en pointant du doigt un étroit liseré jade surcousu tout autour du cou de son tricot de peau déstructuré floqué *Zang Tumb Tumb*. « Merci », il a réitéré non sans cacher sa réserve cette fois, ayant probablement fini par conclure de mon observation que, pas davantage que ses livres, je ne cautionnais ses audaces vestimentaires.

J'allais émettre un commentaire sur l'ergonomie contestable du canapé *Grand confort* qui s'étendait à côté de nous lorsque, débouchant d'un bureau du département des sciences humaines des éditions, une brune pas encore trentenaire a fondu sur Marchepiez sans paraître noter ma présence. Le souffle un peu court de s'être hâtée, elle portait une tunique en crépon que disciplinait une épaisse ceinture en vieux cuir perforée de larges œillets d'étain. « Je profite de votre présence pour vous demander de me le signer, j'ai adoré », elle a dit en rosissant, un exemplaire de *Midnight Pile* à la main. Avec ses larges yeux noir carbone et le bord glossé de sa lèvre supérieure inhabituellement rapproché du bout de son nez, elle pouvait incarner une version réaliste à peine affadie de la comédienne madrilène Penelope Cruz.

Pour maintenir un semblant de contenance, j'ai reporté mon regard sur les murs du hall où étaient exposés les portraits des auteurs maison bénéficiant d'une « actualité », selon le terme approprié. N'y figurant évidemment pas, je me sentais plus anonyme qu'un marronnier de boulevard en hiver. *De la même manière que partager sa vie avec quelqu'un peut parfois lui donner tout son sens,* je me suis néanmoins pris à composer mentalement comme s'il me faudrait l'écrire un jour quelque part, *la légitimité d'un écrivain tient à son public et à rien d'autre. Sans public, la littérature reprend aussi sec toute sa dimension de passe-temps prétentieux et improductif.*

Une fois récupéré son exemplaire dédicacé, la fille à la tunique a tendu en échange à Marchepiez sa carte professionnelle : « Je vous ai ajouté mon numéro de portable au cas où, et vous pouvez aussi me trouver sur Facebook. » Elle est repartie aussi dignement que les quelques mètres de couloir désert et rectiligne qui la séparaient de son bureau le lui permettaient, avec, dans sa démarche, cette détermination un rien gauche des jolies femmes dont, malgré toutes les apparences de respectabilité, les hommes auxquels elles viennent de tourner le dos contemplent la périphérie rénale en toute impunité.

En authentique ambitieux paraissant toujours avoir mieux à faire ailleurs qu'en votre présence, Marchepiez m'a adressé un bref rictus en forme de sourire pour me signifier la fin de notre conversation. Dans un supplément de bonté, il a désigné ma Delsey : « Vacances ? » « Non, départ définitif. » « Ah bon ? Où ça ? » « En Inde. Pondichéry. » « C'est pour écrire ? » Il semblait quelque peu perturbé par ces réponses qui échappaient à son périmètre d'hégémonie habituel. « Non, j'ai insinué avec un stoïcisme sadique, c'est pour mieux m'arrêter d'écrire, justement. » Par orgueil, il s'est abstenu de me demander d'expliciter. Mais je sentais bien qu'au-delà de l'aigreur, il percevait un dangereux accent de conviction dans mes paroles. « Eh bien, bonne chance, alors », il a conclu en recouvrant sa vigueur conquérante, ravalant mon projet d'expatriation à une tentative de plus de ma part promise aux oubliettes.

Comme au théâtre, il a suffi que Marchepiez quitte la scène d'un côté pour que, sans transition, Vadel réapparaisse de l'autre. Il traversait le hall en me fixant d'un air à la fois embarrassé et préoccupé. « Je suis navré », il a grimacé en écartant des bras impuissants, « Je vais devoir annuler notre dîner, j'ai une grosse urgence d'imprimeur que je dois impérativement régler avant ce week-end. » « Pas de problème, Michel », j'ai dit très vite, un peu comme on cherche à faire oublier un désavantageux trébuchement sur le trottoir en accélérant outrageusement le pas. Non seulement je n'avais pas sollicité ce dîner, mais j'avais bien perçu que Vadel me l'avait proposé par devoir, pour tenter de me convaincre que, malgré mon départ, la mévente de mes dernières publications, mon inactivité prolongée et le fait qu'il ne nous restait plus grand-chose à partager en règle générale, il demeurait mon éditeur.

« Mais bon », il s'est raffermi dans l'un de ces sourires qu'on offre afin de masquer élégamment son impatience, « Ça va aller, hein ? » À court de formules d'encouragement, il a posé une main sur mon omoplate : « N'oubliez pas que c'est en exil que Nabokov, Cortázar, Gombrowicz et tant d'autres ont écrit le gros de leur œuvre. » J'ai répondu à sa boutade en hochant de la tête un assentiment désenchanté et j'ai empoigné ma Delsey. Il s'est penché : « En ce qui concerne l'état de vos droits en cours, je me suis renseigné comme vous me l'avez demandé », il m'a dit sur le ton, cette fois, du praticien abordant avec son patient une complication médicale imprévue. « Ce n'est pas énorme. » J'ai levé une main brouillonne en signe de protestation. « Mais si vous avez besoin de quoi que ce soit, il m'a interrompu avec une autorité débonnaire, si vous voulez que je vous fasse une petite avance de soudure, aucun problème, on vous fait le virement et vous me rembourserez quand vous me rembourserez. C'est toujours un bon placement, le temps, en littérature. »

*

L'iconique 36 chevaux Hindustan *Ambassador* rend parfois certaines visions de l'Inde du XXIe siècle aussi impropres à la datation que les drames en CineScope de Hrishikesh Mukherjee ou que les coupes capillaires *mulet* et les pantalons *bell bottoms* à pli frontal des jeunes mâles tamouls en promenade vespérale sur les fronts de mer. Mais c'est en Swift Dzire 2009 de chez Maruti-Suzuki que le chauffeur affilié à la société Sri Ruban Cabs de Pondichéry avait parcouru, sur l'East Coast Road, les cent soixante-cinq kilomètres reliant l'ancien comptoir tricolore à Chennai pour venir me chercher à l'aéroport.

Il m'avait réservé un accueil exagérément neutre sous le long auvent extérieur où patientaient les familles des passagers. Dans l'air déjà chaud du petit matin, avec un soleil tout neuf qui filtrait pourtant de bon cœur entre les rainures émoussées de la fibre de verre ondulée, il tenait d'une main mécanique une feuille A4 où était inscrit au feutre rouge mon nom imparfaitement orthographié. Un instant, j'ai mentalement visionné les temps où, au prétexte de quelque balbutiante foire locale du livre ou de quelque déficitaire tentative de promotion hors frontières de la causticité de l'esprit hexagonal, les services culturels de deux ou trois ambassades de France subtropicales m'avaient dépêché leurs chauffeurs disciplinés et taiseux pour quelques jours confortables de mondanités en bras de chemise.

La Swift Dzire 2009, donc. Dès les premiers encombrements sur la Great Southern Trunk Road à six voies, je me suis demandé pourquoi j'avais formé si vite le projet de m'installer dans une nation qui ne pensait plus, comme tout le monde, qu'à engorger ses routes de puissantes cylindrées privées à vitres teintées, truffer ses côtes maritimes de stations de vacances pour fonctionnaires slaves et ses campagnes de centrales nucléaires de troisième génération. Où l'atmosphère était, comme partout ailleurs, livrée au diktat des ondes électromagnétiques des antennes relais, et où se concurrençaient dans les centres-villes les chaînes de restauration rapide climatisées à mobilier stratifié et personnel à casquettes d'équipiers sportifs.

Après un quart d'heure consacré à me divertir par la vitre de l'inventaire des indices du dépaysement dehors, je me suis endormi d'un bloc, ma tête calée entre l'angle supérieur de la banquette et le polypropylène de la ceinture de sécurité au repos. J'étais littéralement chloroformé par près de vingt heures d'affilée sans sommeil. À trois ou quatre reprises au cours du trajet, je me suis provisoirement réveillé, le temps chaque fois d'entrapercevoir devant moi le chauffeur inlassablement klaxonner, doubler et se rabattre au dernier moment face à toutes sortes de moyens de locomotion dédiés au transport en commun, tout-terrains, motocyclettes, triporteurs, chars à bœufs et cycles filant en sens inverse, puis de me rendormir afin de m'épargner autant de sueurs froides.

Au terme de deux heures et demie de route, le taxi est entré plein nord dans Pondichéry, qui, cinquante-six ans après la signature par la France du traité de cession de souveraineté du territoire à l'Inde, n'offre de prime abord pas le moindre élément d'influence hexagonale. On a même le sentiment, devant l'indéfectible continuité du trafic des deux-roues et des nids de câbles électriques accrochés aux poteaux d'angle des avenues, d'une forme toute-puissante d'amnésie générale, un peu comme si l'on allait traquer *L'Été* de Camus dans l'Oran du plan quadriennal d'urbanisation de 1975.

Un peu naïvement, on voudrait un ralentissement de toute chose, du vide et du plein soleil en noir et blanc argentique, un ciel illimité et du silence, à peine quelques tractions avant et des bicyclettes Dilecta roulant au pas dans de larges rues tracées au cordeau colonial. On voudrait des perspectives oniriques à la De Chirico, on voudrait La Goulette, le Saint-Louis-du-Sénégal, le Diégo-Suarez ou le Saigon d'antan. On voudrait en direct les toutes premières minutes d'un reportage de Claude Loursais pour « Cinq colonnes à la une », en 1964, avec en fond musical ces quelques mesures d'un quatuor énigmatique d'époque dans le genre Messiaen ou Dutilleux.

L'East Coast Road est rebaptisée Mahatma Ghandi Road au sixième carrefour. Là, on bifurque vers l'est sur Anna Salai et, après cinq cents mètres environ, l'enfilade de logis en mortier, de câbles, de boutiques et d'enseignes géantes peintes à la main cesse, et paraissent soudain des frontispices et des pignons ordonnés en pierre de taille, couleur blanc de chaux, fleur de soufre, bisque ou dragée. Aux angles, à mi-hauteur, des plaques de noms de rues en tôle émaillée portent, dans le texte, des patronymes de bailli aixois, baron d'empire malouin ou prix Nobel nivernais de littérature 1915. Les massifs de bougainvillées ou d'hibiscus regorgent derrière les clôtures et l'on monte en sari *kanjivaram* et *kurta* de lin son Atlas Cameo à jante inox sur des centaines de mètres d'asphalte propre et disponible sous les banians.

Bref, c'est très reposant, très beau, merveilleux même. Plus beau encore, peut-être, que du temps des tractions Citroën et de la Bolex 16 mm de Claude Loursais, lorsque, dans l'appétence planétaire pour la *modernité*, les hommes ne perdaient pas encore trop de temps avec l'Histoire en prenant un soin panique à tenter de figer le passé. « C'est intact », on pense d'ailleurs immédiatement, « Ça n'a pas changé. » Mais c'est seulement très beau, seulement très reposant, seulement très préservé, seulement *superbe, splendide, magnifique, merveilleux* ou encore *exceptionnel*, comme on voudra. Rien de plus. C'est beau comme une subvention du Fonds national indien pour la préservation du patrimoine artistique et culturel des plus jolies villes du pays, voilà. Parce qu'il en a toujours été ainsi depuis l'invention de la nostalgie : la Belle Époque n'a jamais existé que dans notre imaginaire. Parce que, de tout temps, l'épreuve du réel l'a toujours emporté et l'emportera toujours sur vos désirs de quatuors sériels et de ciels impeccables en noir et blanc. Et qu'il n'y a rien à faire, où et quand que ce soit, vous mourrez seul en emportant votre spleen impossible.

C'était beau et calme partout, sauf rue Saint-Gilles où deux chargeuses Komatsu fumantes de vingt tonnes chacune procédaient à de sonores travaux de terrassement. Excavée sur toute sa longueur, la chaussée ne consistait plus qu'en un lit de pose de gros sable rouge répandu puis compacté soixante bons centimètres plus bas que le niveau des trottoirs. Une douzaine de tas parfaitement coniques de grès siliceux concassé étaient alignés à intervalles réguliers, attendant d'être étalés comme couche préliminaire de drainage.

C'était la fin du voyage. Le chauffeur a coupé le contact afin d'aller récupérer ma Delsey dans le coffre. J'ai observé pendant quelques instants à travers le pare-brise les engins de chantier pétarader avec une sensation comparable à ce que peut susciter, mettons, la découverte d'une mouche scatophage flottant à la surface d'un entremets lacté. Puis je me suis extirpé de la Maruti, chaviré par l'odeur de mes vêtements qui avaient fini par s'imprégner des émanations « sortie d'usine » des parties plastifiées de l'intérieur du véhicule. L'air libre sentait un amalgame de vapeur de gasoil, de fleur de frangipanier, d'encens Bharath Darshan et de décharge organique sauvage en décomposition.

« C'est 3 500 roupies », m'a annoncé le chauffeur dont nos presque trois heures de promiscuité n'avaient pas le moins du monde entamé l'inflexibilité naturelle, et qui venait d'entreprendre de lustrer avec son mouchoir personnel les baguettes latérales de protection du véhicule. « On n'avait pas dit 2 500 ? » j'ai hésité en fronçant des sourcils tout à fait inoffensifs. « 2 500, c'est sans l'air conditionné. » Sa main n'avait pas faibli d'un pouce sur le jonc chromé. « Mais je n'ai jamais spécifié *avec* air conditionné ! » j'ai voulu protester. « Il fallait me demander de l'enlever à l'aéroport, alors. Vous ne m'avez rien dit, c'est donc 3 500 », il a conclu un ton au-dessus avec la tranquille intransigeance du garçon de café parisien expliquant au touriste étranger qu'en terrasse, c'est plus cher.

M'étant toujours avéré un piètre adversaire dans les conflits de revendications, je n'ai pas insisté davantage. J'ai tiré de ma sacoche pleine fleur plusieurs coupures de valeurs numéraires différentes mais frappées chacune du portrait de Gandhi en son recto. Je les ai tendues à l'homme qui, une fois vérifié d'un coup d'œil express le montant, les a aussitôt empochées sans protocole et a repris le volant après avoir refermé délicatement sa portière. Et tandis que le taxi déboîtait puis se fondait de nouveau dans le trafic de Gingee Salai, j'ai emprunté à petits pas prudents l'étroite bande formée par les moellons de bordure du trottoir, lesquels, révélés dans leur intégralité verticale, pouvaient évoquer une dentition nue et rectiligne de molaires géantes.

Avec mon passeport et ma carte bancaire internationale, ce que mon sac à main renfermait de plus précieux était un modèle ultra-courant de clé paracentrique crantée que le propriétaire du 23 de la rue m'avait, à mes frais, expédiée par courrier express à Paris un mois plus tôt, à peu près au moment où il recevait par virement automatique le premier versement de mon loyer mensuel de 30 000 roupies. Aussi ai-je ressenti du désagrément lorsqu'en la glissant dans la serrure de la porte d'entrée j'ai constaté que ça coinçait, comme si un passe identique avait été introduit à l'autre extrémité. J'avais beau tourner dans les deux sens, aborder le chemin de clé à tâtons ou en hussard, les goupilles ne voulaient rien comprendre à l'intérieur du barillet. Sous l'effet conjugué de la fatigue du voyage, du vacarme du chantier dans mon dos, des vapeurs d'essence et de ce soleil de mousson qui à midi vous cuit à cœur sous votre chemise comme un four à micro-ondes, j'ai, pendant un instant, éprouvé une envie douloureuse de bourg breton à l'automne, avec prairies saines s'étendant jusqu'au bord des falaises et iode tempéré charrié jusque dans la grand-rue piétonne par le vent du large. J'ai pris une longue inspiration récupératrice, retiré définitivement la clé de la serrure et pressé en dernier recours le bouton de sonnette Art nouveau appliqué sur le mur attenant, sans imaginer sérieusement que quelqu'un viendrait m'ouvrir au bout de quelques secondes.

L'homme qui a entrebâillé la porte avait la peau du visage aussi épaisse que celle d'un sharpei et ses joues étaient couvertes de ces profondes cicatrices d'acné dites *pic à glace* popularisées au cinéma par les acteurs James Woods et Robert Davi. Avec son teint gras boucané, ses petits yeux veloutés, son abondante pilosité et les contours de son débardeur d'aisance qui transparaissaient sous sa chemise tendue par un abdomen trop protubérant, j'aurais tout aussi bien pu le rencontrer à Izmir, Samarcande ou Dar Bouazza. À en juger par la serviette de table qu'il tenait dans sa main et sa mâchoire qui mastiquait une fin de bouchée alimentaire, je l'interrompais pendant son déjeuner. Déconcerté, j'ai bredouillé quelques explications qui s'apparentaient plutôt à des excuses. « Je n'étais pas au courant », s'est méfié le type tout en révélant une haleine touffue fortement carnée. « Je passe mes vacances ici avec ma famille. Monsieur Poobalarayar ne m'a pas prévenu que quelqu'un allait arriver pour habiter. » Je n'ai rien répondu, me demandant pour la deuxième fois de la matinée si mon peu de prédisposition à défendre mes intérêts relevait d'une essence humaine supérieure ou bien d'une lâcheté congénitale.

L'apparition d'une femme suspicieuse en sari et d'un garçonnet torse nu dans la perspective du corridor menant au patio a achevé de me dissuader d'insister. J'ai remercié l'homme, lequel a aussitôt refermé la porte avec cette impatience polie que l'on réserve aux agents releveurs de compteurs d'électricité et autres quincailliers ambulants, puis j'ai repris avec la Delsey mon pas instable sur le rebord chaotique du trottoir.

J'ai marché sous le soleil à pic jusqu'à l'angle des rues Manakula Vinayagar et Dupuy. Là, une fois abrité de l'enfer des chargeuses, à l'ombre trop clairsemée d'un margousier, j'ai tiré de ma sacoche mon téléphone cellulaire encore équipé d'un microcontrôleur d'opérateur français. Nonobstant les coûts prohibitifs d'itinérance internationale, j'ai fait défiler le curseur de mon répertoire alphabétique jusqu'au patronyme de mon nouveau propriétaire, et j'ai confirmé l'appel d'une simple pression du doigt : « Allô, Mister Poobalarayar ? »

« Vous ne deviez pas arriver la semaine prochaine ? » Dans mon récepteur, l'homme ne s'est pas démonté. Il ne semblait pas plus disposé au repentir ou à la compassion que je ne l'étais moi-même à lui exprimer ma colère. « La semaine prochaine ? Je vous ai dit ça, moi, Monsieur Poobalarayar ? » Pendant un instant, j'ai pensé que j'avais forcément dû pécher par défaut d'exactitude au cours de l'un de nos récents échanges de courriels. C'est le point de vulnérabilité des vrais sceptiques qui, au fond, ne doutent que d'eux-mêmes : l'aplomb des autres. « Ce n'est pas grave », a poursuivi d'un ton magnanime Poobalarayar, qui tenait bon le culot. « La maison sera libre dès lundi, promis. En attendant, je peux vous en proposer gratuitement une autre, j'en possède une très jolie dans le quartier tamoul. Il faudra juste faire un peu de ménage. »

C'est au prix d'un gros effort d'amour-propre que j'ai décidé de m'enhardir un peu : « Attendez, Monsieur Poobalarayar, vous trouvez ça normal ? Nous avons signé un bail à Noël, j'ai vous ai payé deux mois de loyer d'avance ainsi qu'un mois de loyer transitoire pour vous prouver que vous pouviez me faire confiance et aussi m'assurer moi-même que la maison me serait réservée après le départ des précédents locataires. Et, le jour de mon arrivée, je découvre qu'une famille entière y passe ses vacances. Avouez que c'est un peu fort, quand même ! » Afin de tempérer mon propre accès d'humeur, j'ai émis un petit rire incongru.

« Je viens de vous dire que je vous en propose gratuitement une autre », s'est aussitôt raidi le bailleur qui, bien au-delà de la mauvaise foi, incarnait à lui tout seul le règne incontesté de l'esprit marchand parmi les hommes depuis la plus obscure Antiquité. « Ne pensez-vous pas qu'il s'agit là d'un cas manifeste de préjudice, Monsieur Poobalarayar ? » j'ai néanmoins persisté pour la beauté du geste. J'avais le sentiment de jouer le rôle de l'usager indigné au cours d'une simulation prévue dans le cadre d'un stage de qualification en entreprise.

« Préjudice ? » (« *Damage ?* ») Le mot semblait être sur le point de déclencher chez Poobalarayar un mécanisme de représailles à mon encontre aussi écrasantes que strictement avalisées par une batterie de lois appropriées. « Écoutez. Je vous ai proposé une solution raisonnable et amicale. Mais vous pouvez tout aussi bien reprendre vos deux mois de loyer et rechercher ailleurs une autre maison. Et même me traduire en justice, tiens, puisque c'est ce que vous avez l'air de sous-entendre. Oui, poursuivez-moi, pourquoi pas, *be my guest.* » En contrepoint d'une condescendance amusée vis-à-vis de ma mutinerie de pacotille, il y avait dans sa réponse l'orgueil serein de tout un peuple autarcique brillamment affranchi du joug occidental depuis près de trois générations.

« Ne le prenez pas comme ça, Monsieur Poobalarayar », j'ai gémi, tellement plus à mon avantage sur le terrain de la capitulation et de la flagornerie. « Je crois qu'il y a un malentendu. Je n'ai absolument pas pour intention d'aller en justice. Ni de me fâcher avec vous, d'ailleurs. » L'homme a poussé un bref soupir de clémence à l'autre bout de fil. Malgré la mortification que je sentais palpiter jusque dans mes tempes, j'étais soulagé. Car, comme Poobalarayar lui-même sans doute, je savais quelle serait, en contrepartie de ma dignité intacte, ma difficulté à retrouver dans la ville dite *blanche* une maison

comparable à la sienne, disponible et bien entre-
tenue, avec cour intérieure et jardinet planté
d'arbres fruitiers, *thalvaram* à colonnes, pilastres
et corniches, et, surtout, cette terrasse sur le toit
si propice à la rêverie avec ses larges contrevents
de canisses en bambou refendu.

Tout compte fait, je m'en sortais plutôt bien
si l'on considère que, sans autre témoin que
vous-même, le spectacle de votre propre humiliation perd un peu de son désagrément objectif. Je venais non seulement de m'épargner un
conflit humain, mais également d'incertaines
démarches juridiques. Bref, du tracas et beaucoup de temps perdu. J'ai souri tout seul dans
mon cellulaire : « Il n'y a pas de problème,
Monsieur Poobalarayar. On va faire comme si je
n'avais rien dit, d'accord ? »

« Moi, il y a deux ans, je suis tombée sur un
propriétaire qui m'a carrément annoncé qu'il
reprenait sa maison alors que je venais juste de
m'y installer ! Vous imaginez ? » Malgré ses yeux
contournés au *kajal* de beurre clarifié et son
pantalon bouffant en lin issu du capitalisme
compassionnel, la compatriote responsable de
la buvette *Du Beau du Bio du Bon thé* avait parlé
comme on fait en France, en ouvrant de grands
yeux scandalisés et tout en pressant un index
frénétique contre son plexus pulmonaire. Comme
si parvenir à démontrer à quiconque qu'on était
moins bien loti que les autres vous donnait du

galon. Je m'en voulais un peu d'avoir eu la fai-
blesse de lui confier mes déboires avec Poobalarayar pour engager la conversation. Comme
chez à peu près tout individu, cela n'avait eu
pour seule conséquence que de lui donner une
occasion de parler d'elle. Bien fait pour moi,
cela m'apprendrait à chercher à me faire plain-
dre de mon incapacité à me cuirasser tout seul.

Dans un premier temps, elle avait pourtant
fait l'effort commerçant de m'accueillir avec
une tentative de sourire malgré cette expression
d'effarement négligent et obstiné qui tirait les
commissures de ses lèvres en deux gros plis
tristes vers la partie inférieure de son visage
jusqu'au menton. Je l'imaginais très bien avaler
dix milligrammes de benzodiazépine chaque
fois qu'elle raccrochait au terme d'une bonne
heure de conversation téléphonique avec sa
mère, toujours aussi culpabilisante malgré ses
quatre-vingt-cinq ans.

Elle se rappelait même m'avoir déjà aperçu
dans son salon de thé lors de ma première visite
de la ville, près de six mois plus tôt. En lui
annonçant que j'étais revenu pour m'installer à
mon tour, j'ai senti à une brève contraction de
son muscle masséter que je lui ôtais soudain le
privilège de me traiter avec le paternalisme de
mise avec les touristes de passage. « Vous verrez,
vous n'êtes pas au bout de vos peines avec les
Indiens », elle a néanmoins renchéri pour s'oc-
troyer la conclusion du débat.

Comme elle n'avait plus rien à ajouter, elle

m'a adressé une petite grimace impatiente pour tout salut, puis a pris congé en direction d'une table basse où cancanaient deux trentenaires occidentales qui, au vu de leurs épaules osseuses et voûtées, leur air comploteur ainsi que l'acharnement avec lequel elles tiraient sur leurs cigarettes comme du temps béni d'avant le décret 1 386 de l'an 2006 fixant les conditions d'application de l'interdiction de fumer dans les lieux affectés à un usage collectif, ressemblaient à toutes les épouses d'expatriés français du monde. Elles se sont interrompues et ont tendu le cou à l'unisson vers la patronne, qui écrasait aussi discrètement que possible un commentaire à mon sujet tout en s'asseyant. En réaction de quoi elles ont non moins simultanément tourné vers moi de petits yeux aussi méchants que méfiants, mais qui au fond ne trahissaient rien d'autre que de l'ennui, voire une curiosité sexuelle contrariée. J'ai aussitôt reporté les miens sur mon lassi à la mangue, qui, il me fallait l'admettre, était bien plus présentable et goûteux que ceux que l'on servait dans la plupart des estaminets locaux. Car je n'avais plus, à mon âge, aucun scrupule à délaisser les poisseux bancs de bois des échoppes traditionnelles des pays tropicaux pour le confort postcolonial des établissements qu'y tenaient les Européens.

À la table d'à côté, deux couples d'une vingtaine d'années potassaient une version italienne du guide de voyage australien Lonely Planet. T-shirts extra-larges, barbiches Sonny Rollins première heure, bermudas sable de paratroo-pers et tongs pour les garçons, sarouels *Aladin* et bindis frontaux pour les filles. Un sachet de tabac à rouler, un étui de feuilles en cellulose et quelques dosettes d'antidiarrhéique en poudre étaient étalés sur la table parmi les tasses de café et les verres de Coca-Cola dégazé. À l'heure d'une croissance annuelle du PIB de 9 % et de la tablette tactile multitâches de masse à 35 dollars, je me félicitais de constater que l'Inde conservait intacte auprès des post-adolescents d'Europe sa vocation d'initiation à la spiritualité et au dénuement.

J'avais oublié combien l'incessant croasse-ment des milliers de corbeaux familiers (*Corvus splendens*) finit, à Pondichéry, par s'intégrer naturellement aux rumeurs de l'air, un peu comme au cœur des pinèdes du Var le chant des cigales en été. Il fallait ajouter à cela le ciel de mousson qui, fin juin, rend particulièrement neurasthéniques le soleil et les ombres. Comme une sorte de creux glacé recommençait à m'en-vahir à la pensée que cela n'avait aucun sens d'avoir, sur un coup de tête, choisi de m'instal-ler dans un pays dont je ne savais rien et où je ne connaissais personne, je me suis penché pour ouvrir ma Delsey et saisir à l'intérieur, coincé sous le croisé des sangles élastiques, au sommet de la pile disciplinée de mes vêtements, une édition de poche de *Bag of Bones*, de Stephen King.

J'ai repris ma lecture au moment précis où Michael Noonan, le romancier-narrateur, parvient enfin à se remettre à écrire après quatre années complètes d'inspiration au point mort. Évidemment, je n'ai pas pu m'empêcher d'établir une jonction avec mon propre cas, même si me comparer à Michael Noonan revenait à mettre en balance, disons, une voiturette électrique sans permis à un Hummer limousine de sept tonnes éclusant soixante litres aux cent. Non seulement Noonan était multimillionnaire en dollars, mais il avait pu, en outre, s'offrir l'inconcevable luxe, au cours de ses années de chômage technique, de faire publier quatre romans dont il conservait depuis plusieurs années les manuscrits dans un coffre-fort de banque en cas de coup dur. *Quatre !* Quatre manuscrits de réserve quand je ne m'étais moi-même jamais montré capable de rien griffonner qui ne soit recyclé à tout prix dans un roman en cours ou à venir.

Je ne pouvais même pas me réconforter à l'idée que les Michael Noonan n'existent que dans les romans. Les droits d'auteur planétaires de Stephen King lui-même, trois fois plus prolifique que Noonan, lui rapportaient chaque année dix fois la fortune de son double romanesque. Ce *Bag of Bones* composé d'environ deux millions de signes typographiques, une indication en fin d'ouvrage, page 665, spécifiait qu'il avait été rédigé en huit mois à peine lorsque je mettais, moi, deux ans à engendrer cent cinquante pages imprimées dans ces trompeuses polices de caractère qui, chez les éditeurs français, tendent à faire passer la paresse de leurs auteurs pour un minimalisme aussi allusif qu'exigeant.

Sans parler de la qualité proprement dite de nos romans respectifs. On voudrait croire en France que les colosses américains de la littérature procèdent de livre en livre selon la légendaire recette de la Ford T : un produit fiable, simple, pratique et bien huilé adapté à un public populaire qui en veut pour son argent, mais sans les nuances ni le raffinement de nos auteurs à nous, tellement plus tourmentés, tellement plus poètes, tellement plus philosophes, tellement plus stylistes. Or, dans *Bag of Bones*, non seulement Stephen King s'avérait un auteur à l'imagination sans fond, pathologiquement tourmenté, décrivant à grand renfort de métaphores inattendues et riches un visage austère d'épicier de village aussi bien qu'un lever de lune au-dessus d'un lac du Maine, mais il gratifiait par-dessus le marché son lecteur de réflexions sur la langue et le métier d'écrire avec une décontraction limpide dont les départements de lettres modernes de nos facultés à la condescendance facile gagneraient sans doute à s'inspirer pour escompter figurer un jour en meilleure position au sein du fameux classement de l'élite internationale des filières d'études établi par l'université Jiao-tong de Shanghai.

Curieusement, plutôt qu'achever de m'inhiber, tout cela avait pour effet de réveiller un désir tassé tout au fond de moi, un peu comme un saint-bernard de douze ans se remettrait à gambader en assistant à une poursuite à vue sur leurre de lévriers. Trop conscient de mes insuffisances pour me décourager tout à fait, j'ai donc reposé *Bag of Bones* sans ménagement face contre table et j'ai tiré de ma sacoche mon téléphone portable. J'ai activé l'option *Notes* de l'appareil et, après une seconde d'hésitation face au curseur d'amorce qui clignotait en haut à gauche de mon écran digital, j'ai composé ceci :

> C'est en lisant dans *Bag of Bones* que Michael Noonan reprenait la plume après quatre années d'improductivité totale (*writer's block*), que je me remis moi-même à écrire. Toutes proportions gardées, cela va sans dire.

Je n'avais peut-être pas le trentième du génie d'un Stephen King, mais une connaissance suffisamment approfondie de mes capacités et de mes limites pour avoir d'ores et déjà l'intuition que, d'une façon ou d'une autre, cet insignifiant incipit aboutirait à un roman complet de moins de trois cent mille signes au cours des deux prochaines années civiles, peu importait que je regrette un jour de ne pas m'y être plus consciencieusement appliqué. Toujours émouvant, dans la vie d'un écrivain, cet instant précis qui, après trois ans d'une espérance passive et inquiète confinant bien souvent au désœuvrement, marque son retour aux affaires. Car rien n'était à même de donner aussi sûrement de sens à ma vie que la perspective de ces heures parfaitement inutiles d'appétit et de désespoir alternés qui m'attendraient chaque jour comme un long tricotage sans patron.

J'ai levé la main pour attirer l'attention de la propriétaire du *Beau du Bio du Bon thé*. « Oui ? » elle a soupiré depuis son canapé de rotin avec une réticence soulignant qu'il ne me faudrait surtout pas espérer d'elle un dévouement ancillaire. « Vous auriez une feuille blanche et un stylo à me prêter, par hasard ? » j'ai souri mielleusement tout en mimant de ma main droite une graphie grossière dans l'espace. Je la fixais droit dans les yeux pour éviter de me laisser intimider par ses deux acolytes tabagiques, dont je sentais les regards me détailler à loisir depuis le fond de leur club en osier. « Ils vendent des cartes postales, en face, si vous voulez », a cru anticiper la patronne en indiquant la direction de la rue d'un menton désinvolte. Puis, sur un ton à peine adouci d'esquisse de largesse : « Mais bon, si c'est une feuille blanche que vous voulez absolument, je peux toujours aller vous cherchez ça. Une vraie lettre, c'est vrai que ça fait toujours plus plaisir. »

Je la connaissais, la maison que possédait Poobalarayar dans le quartier tamoul, je voyais très bien. Un F3 tapageur perpétuellement en travaux, équipé d'aggloméré stratifié et de PVC chinois, avec ampoules basse consommation pendant à nu dans les couloirs et, sur le balcon, des garde-corps de plexiglas fumé encore protégés par leur emballage d'origine. Avec ventilateurs de plafond à luminaire et pampilles, bahut laqué pour téléviseur, cave à liqueur portative, armature de lit à baldaquin et autres accessoires « tout confort » de simili-standing pour aspirants millionnaires adultères.

Il faudra juste faire un peu de ménage. Je traduis : débarrasser l'appartement d'une douzaine de pots entamés de glycérophtalique, solvants et autres enduits de lissage, ainsi que des rogatons et effets personnels divers d'ouvriers qu'on a cessé de rémunérer depuis belle lurette, lesquels ont fini en guise de protestation par élire domicile dans votre séjour. Dépoussiérer dix-huit mois d'accumulation régulière d'infinitésimales fibres textiles, corpuscules de moisissures et phanères en tous genres, gratter les mouchetures sur le carrelage, lessiver les murs, débrouiller les vitres de leur bistre tenace, remplacer le joint magnétique du réfrigérateur, étancher les siphons des éviers, changer la bonbonne de gaz, et j'en passe.

Et bien que sous ces climats industrieux propices à la subordination d'autrui une escouade de trois hommes équipés de chiffons et de simples seaux se fussent acquittés sans broncher de la tâche en une journée tout au plus, je savais d'expérience quelle sensation tombale m'envahirait chaque fois que je rentrerais de mes promenades, plus particulièrement en début d'après-midi, vers quatorze heures, lorsque dehors il ferait un soleil immobile et creux, quand ce ne serait plus l'heure de s'employer à entamer la journée, et encore bien trop tôt pour se préoccuper de meubler la soirée.

Sans la moindre hésitation, j'ai tiré mon Routard *Inde du Sud* de ma sacoche. Sur la couverture de papier calandré, le marcheur emblématique sac-mappemonde au dos, logotypé dès 1975 par l'illustrateur Jean Solé, avait été miniaturisé et politiquement standardisé : cheveux plus courts, région sous-nasale glabre, chemise rentrée, pantalon droit, jambes raides et montre-bracelet au poignet. Un salarié intemporel *sympa* et fiable plutôt que le hippie velu combinard des débuts. Il était tentant d'y reconnaître, quoique très avantagés, les traits du fondateur historique de la collection, Philippe Gloaguen, caractéristique avec son cran capillaire marqué et ayant lui-même porté moustache jusqu'à la fin des années 1990. À la section « *Où dormir ? — Prix moyens : 900-1 500 Rp* », parmi une demi-douzaine de propositions concurrentes mais sensiblement identiques, je me suis décidé pour une pension dont les dernières lignes de la notice critique étaient rédigées dans ces termes :

> Le petit plus, c'est la terrasse panoramique que Valérie et Mathieu, les jeunes hôtes poitevins, laissent à disposition de leurs guests à tout moment de la journée.

« Vous êtes Valérie, je suppose ? » j'ai souri avec finauderie au visage féminin fleuri d'angiomes stellaires qui a paru derrière la porte de la pension après que j'eus sonné. L'intéressée avait probablement dix ans de moins que moi, mais ses phases erratiques de sommeil, sa consommation immodérée d'acides gras saturés et sans nul doute de résine de cannabis lui en faisaient paraître tout autant. Pour toute réponse, elle a relevé ses sourcils d'étonnement, mais sans que le geste ait altéré d'un micromètre l'expression naturellement mal aimable de son regard : « Vous n'êtes pas écrivain, vous, par hasard ? »

Ainsi que j'en avais l'usage les rares fois qu'un inconnu m'identifiait encore, j'ai simulé une capitulation humble et pudique, un peu comme si l'on venait de m'ôter par surprise une barbe postiche et une perruque qui ne demandaient que ça. « Euh, oui », j'ai répondu en me grattant le crâne de l'index avec un faux embarras, ravi, d'autant plus triomphant qu'être reconnu si loin de France me conférait à bon compte une forme universelle de prestige. « C'est mon mari qui va être content », elle s'est réjouie avec un enthousiasme qui paraissait sincère. Flatté, attendri, je me suis fait aussitôt la remarque que, malgré leur nombrilisme à toute épreuve, les gens pouvaient aussi, de temps en temps, se montrer capables de manifester vis-à-vis de leurs semblables une admiration désintéressée. C'était juste avant qu'elle n'ajoute, tout en ouvrant la marche dans l'escalier qui menait aux étages : « Il écrit, lui aussi. »

Au premier, il y avait une salle de séjour commune à tous les pensionnaires qu'agrémentaient sans surprise un salon quatre places en bambou, un calendrier mural illustré et, répartis sur différents supports plus ou moins robustes, un combo bas de gamme téléviseur-DVD, une cafetière électrique programmable, un coffret récréatif multijeux ainsi que quelques revues. Sur un mouvement impératif de sa main m'invitant à une brève attente, mon hôtesse s'est éclipsée. Le temps de concentrer mon attention du côté de la table basse du salon, où une tige d'encens était en train de se consumer tout en ayant laissé se former en négatif une section de quatre bons centimètres de cendre ployante au bord de l'écroulement, elle était de retour, accompagnée d'un type fébrile à gabarit celte à peine plus médiocre que le mien et qui, en croisant mon regard, a cherché à faire disparaître l'expression instinctivement adverse du sien par un début de sourire. « Mon mari », elle a aussitôt précisé sur ce ton gourmand dont on use en prémices de négociations d'intérêts dont on ne doute pas que l'issue sera juteuse.

Un fennec. C'est la première représentation qui m'est venue à l'esprit en avisant le visage de l'homme, dont les traits saillants et ratiers semblaient, de part et d'autre de l'arête nasale, avoir été tirés vers l'arrière de la boîte crânienne puis maintenus tendus par deux mains querelleuses et obstinées. Entre les pans de sa chemisette de lin exagérément écartés, le derme granuleux et rougi de sa poitrine trahissait un naturel sanguin, voire une addiction à la boisson, supposition que rendait plausible le spasme régulier qui agitait ses lèvres.

« On va vous montrer votre chambre », il m'a annoncé après m'avoir présenté en guise de salutation quelques bouts de phalanges moites et furtifs. Les mots étaient à peu près ceux de n'importe quel professionnel de l'hôtellerie, mais tout le reste chez lui accusait une désinvolture de dilettante : cette poignée de main inappropriée, le regard fuyant et, surtout, un sillage corporel rance mêlant sueur d'aisselles refroidie, fritures, tabac à rouler, mêmes vêtements portés plusieurs jours d'affilée et séjours prolongés entre des draps de lit qu'on ne change jamais.

Après un ultime coup d'œil vers la table basse, où j'ai constaté déçu que la cendre en équilibre sur le bâtonnet d'encens avait entre-temps fini par céder pour se disloquer en une demi-douzaine de courts segments tubulaires au contact de la surface, nous avons quitté la pièce puis traversé en silence un couloir où la lumière blafarde du jour provenait d'une unique fenêtre à ventelles de verre opaque, ébréchées pour la plupart. « C'est notre meilleure », a commenté le mari avec une froide connivence tout en faisant halte devant une porte isoplane dont les environs immédiats de la serrure étaient maculés de crasse digitale. Il y a introduit une non moins

élémentaire clé à gorges que sa teinte aluminium primaire rendait tout aussi indatable que
les Hindustan *Ambassador,* puis il a ouvert.

Il faut une expérience soutenue des guest-
houses en secteur tropical pour comprendre au
premier aperçu que la chambre qui vous a été
attribuée, en apparence décente avec ses draps
repassés proprement bordés, sa moustiquaire
ciel de lit soigneusement nouée au-dessus du
matelas et les particules d'un surodorant bacté-
ricide fraîchement vaporisé encore en suspen-
sion dans l'espace, aura tôt fait, dès la tombée
de la nuit, à la lumière du néon central, de révéler sa vraie nature, un peu comme une vedette
sexagénaire de télé-achat qu'après les sunlights
on vient de démaquiller : la moustiquaire trop
juste aux accrocs mal reprisés, le drap usé jusqu'à
la corde, le néon bourdonnant, les canalisations
hurleuses. Et, surtout, au moment du coucher,
l'effort requis de stoïcisme pour ne pas trop se
laisser tourmenter à la pensée des générations
de pellicules capillaires, peaux mortes, résidus
de sperme, taches de menstruations, mycoses,
odeurs de pieds, mucus nasal et autres flatuosi-
tés que la mousse premier prix de votre matelas
en bout de course aura immanquablement gar-
dés en mémoire.
    J'étais donc allongé sur le lit de la chambre, à
n'avoir rien entrepris d'autre depuis un gros
quart d'heure que fixer un gecko absolument

immobile sur le mur dans l'attente d'une réaction de sa part, lorsque le patron est revenu seul toquer à ma porte. Il m'apportait en ravitaillement un rouleau complet de papier hygiénique, mais le caractère expéditif de son geste lorsqu'il m'a tendu l'objet laissait entrevoir une motivation plus matoise.

« J'aime beaucoup ce que fait votre éditeur », il a fini par lâcher après une seconde d'hésitation où, considérant sans doute qu'ayant suffisamment sacrifié aux préliminaires d'usage avec sa ouate de cellulose, il n'avait plus une seconde à perdre. Au-delà de sa hargne à éviter de mentionner mes propres livres, au-delà du suffocant sentiment d'injustice qu'il devait éprouver à l'idée qu'un éditeur réputé publiât un type qu'il devait à coup sûr juger mauvais romancier (en tout cas, pas plus doué que lui), je me sentais fasciné autant qu'intimidé par ce bloc de détermination forcenée qui ne s'encombrait pas de politesse ni de la plus élémentaire pudeur, au point de me demander sans sarcasme par quel espiègle coup du sort tant d'opiniâtreté et d'ambition n'avaient-elles pas mieux été récompensées par le destin.

« Ça vous ennuierait de jeter un œil à mon manuscrit ? » il a logiquement poursuivi en désignant du menton des documents qu'il tenait calés contre sa taille, « Je serais curieux d'avoir votre avis. » Il me l'avait proposé presque à contrecœur, avec une malveillance que seule pouvait justifier la conscience soudaine de sa propre indignité.

« Pas du tout. Avec plaisir », j'ai souri sans rondeur en recevant de ma main disponible une thermoreliure d'une centaine de pages. Un nom était inscrit en Courier corps gras sur la couverture : *Mathieu Moulevrier*. Un patronyme qui, dans sa rustique francité, me semblait en la circonstance fleurer plutôt les refus à la pelle d'éditeurs qu'un hypothétique Goncourt. Quant au titre, *Glacis lassant*, s'il m'a dans un premier temps laissé imaginer un esprit plus distancié et facétieux qu'il n'y paraissait, j'ai compris en découvrant l'incipit du roman que, tout au contraire, c'est le plus solennellement du monde qu'il avait été conçu :

> Compromettre ma psyché exigeante et protéiforme dans le processus humanoïde global de créativité m'avait toujours posé problème.

« Ne lisez pas maintenant ! » s'est crispé l'homme en couvrant d'une paume impérative le paragraphe incriminé afin de m'obliger à lever les yeux du fascicule, contrarié comme un pâtissier-traiteur qui surprendrait en coulisses un galopin en train de plonger les doigts dans sa génoise. « Plus tard, à tête reposée. » *Un narcisse raté* et *tyrannique*, j'ai pensé tout en m'exécutant. *De ceux qui prennent les romanciers un peu médiatisés dans mon genre, même sur le déclin, pour des faiseurs écervelés, nécessairement futiles et opportunistes.*

J'ai rabattu la couverture puis déposé avec une prudence revancharde l'ouvrage sur la table de la pièce, dans l'espoir qu'il percevrait la nuance de dérision que je mettais dans mon geste. Pour m'amadouer, il a souri en grand pour la première fois, dévoilant une effrayante rangée supérieure de dents dont, à l'instar des babines retroussées d'un chien, il était impossible de déterminer sans que celui-ci grogne si elles exprimaient la gaieté ou bien la dissuasion. « Et ça, c'est au cas où vous auriez besoin de vous détendre entre deux chapitres », il s'est pacifié en me tendant une brochure qu'il avait conservée entre-temps sous son bras.

Il s'agissait du numéro courant de *Lisons Magazine* consacré aux publications de la prochaine rentrée littéraire, sans aucun doute une aumône consentie à l'établissement par quelque client fraîchement débarqué de Paris, mais qu'il entendait faire passer pour une gratification personnelle. « Parce que, je vous préviens, mon truc, c'est assez dense. » Pour donner un tour grandiose à sa réplique, il a tourné les talons puis quitté la pièce sans un mot en refermant la porte dans son dos, comme au cinéma.

J'ai attendu quelques secondes avant de me pencher pour reprendre le manuscrit sur le lit, histoire de n'être pas surpris en flagrant délit de curiosité servile au cas où le type rouvrirait inopinément la porte de la chambre. Puis j'ai ouvert au hasard :

— Sache que je préfère un million de fois bander mou que me prostituer une nanoseconde au diktat Ultrabright-mais-je-pue-de-la-gueule de la mondialisation putassière, je lui ai renvoyé dans les dents en soulevant l'extrémité de la couette pour voir si mon caleçon s'y trouvait.

Je ne me sentais pas rassuré. Malgré l'hypertrophie verbale et sémantique de sa prose, je n'y avais, à ce stade, toujours rien trouvé d'indiscutablement risible ou méprisable. J'étais bien forcé d'admettre que si le mauvais goût menaçait à chaque mot, la phrase appréhendée dans sa totalité parvenait contre toute attente à rectifier le tir, voire ne manquait pas de caractère.

J'ai poursuivi ma lecture :

Car celles que par consensus arbitraire imposé par la nomenclature des *sapiens loquendi* que nous sommes nous appelons *Les femmes* m'avaient toujours semblé, depuis le forceps formatant par l'entremise duquel une infirmière m'avait extrait crâne par-dessus cul de l'utérus béant et sanguinolent de ma propre génitrice, des êtres de non-être ne trouvant de justification existentielle que dans le matérialisme le plus terre à terre et l'entreprise raisonnée et planifiée d'humiliation castratrice et saphisante du spécimen mâle.

Gagné par un vague sentiment de concurrence déloyale, j'ai refermé le livre. *Afin de préserver son amour-propre*, ai-je songé, *il est vital pour l'écrivain contemporain sur le déclin de limiter au maximum ses contacts avec les aspirants romanciers en quête d'éditeur. Ou bien uniquement à condition que ceux-ci n'aient aucune chance de se faire publier un jour autrement qu'à compte d'auteur.* Et encore : rien de plus incommodant pour l'ego de l'écrivain contemporain sur le déclin, toujours avide de s'adresser au *Public*, que de se rendre à l'évidence que la plupart des individus que son statut peut encore mobiliser sont eux-mêmes des aspirants écrivains, et qu'en conséquence son lecteur idéal, universel, non consanguin, qui réunirait à la fois perspicacité et pur désintéressement, n'existe pas.

Pour achever de mettre mes nerfs à l'épreuve, je n'ai pas pu m'empêcher de saisir à la place l'exemplaire de *Lisons Magazine*, que j'ai feuilleté aussi négligemment que l'amertume me l'autorisait, en m'efforçant de ne pas trop m'attarder sur tous ces portraits de romanciers qui, avec leurs poses d'humbles et élégants forçats de l'esprit, ne m'inspiraient rien d'autre qu'un mépris jaloux, ainsi que l'expression *marchands en cols blancs.*

Moi d'ordinaire si peu tenté de filer la métaphore, je ne me suis pas gêné cette fois-ci en me formulant que, sous leurs airs détachés, ils le convoitaient tous, leur magot d'automne : deux-trois parrains increvables de Saint-Germain-des-Prés, cinq ou six caïds apprentis parrains, une douzaine de maquerelles, braqueurs, dealers et pickpockets rentables, ainsi que la poignée annuelle de nouveaux venus élus parmi la cohorte uniforme de toutes les petites frappes à premier roman qui guetteraient les premières touches : une alerte Google nominative, un entrefilet dans les colonnes d'un quotidien national, dix secondes sur une antenne du Service public, bref, une singularisation à tout prix de leur rédaction libre bien mise au propre, de leur petite denrée intimiste bien présentée, une de plus parmi les milliers de tonnes de pâte à papier encrée pissées par les rotatives, ordonnées, massicotées, collées, agrafées, reliées, empilées, conditionnées, manutentionnées, véhiculées, livrées puis étalées jusqu'à péremption pour les beaux yeux du chaland aux quatre coins de France, exactement comme ma viande des Grisons et mon tatziki-ciboulette sous film cellophane au Carrefour, idem.

J'ai fermé puis posé le magazine sur le matelas. Dans l'intervalle de mon inattention, le gecko avait changé de position sur le mur. Cela m'a instantanément évoqué *Bag of Bones* et l'alphabet magnétique aimanté sur la porte du réfrigérateur de Michael Noonan : les lettres formaient par magie de nouveaux messages à l'intention du narrateur chaque fois que celui-ci s'absentait. J'ai jeté un coup d'œil sur l'écran de mon cellulaire : quatorze heures. Des rumeurs irrégulières d'avertisseurs et de corbeaux me parvenaient du lointain à travers la lucarne de la salle de bains. Au seul air tiède que remuaient au ralenti les pales du ventilateur de plafond réglées à leur vitesse minimale de rotation sur la commande murale, je pouvais éprouver le gril du soleil à vif dehors sur les trottoirs. Je me sentais fade et pesant, encombré et encombrant, d'une tristesse passive dépourvue d'enjeu. Déserté de toute ambition jusqu'aux résolutions les plus simples et les plus nécessaires : ouvrir ma valise, prendre une douche, aller déjeuner, attraper un livre. Tout cela m'apparaissait soudain aussi insurmontable et insensé que, disons, emmener uriner son chien sous une pluie battante, un soir glacé d'hiver.

« Euh, comment dire. » Allongé en embuscade dans l'un des transats de la terrasse, un exemplaire déployé du *New Indian Express* entre les mains, Moulevrier m'avait cueilli en fin de service du petit déjeuner tandis que, sous un soleil déjà gaillard, la clameur de la ville à son paroxysme me donnait l'impression d'accuser en creux mes oisives perspectives. *Euh.* J'ai déposé mon *Routard* et mon lixiviat de café sur la table et je me suis assis tout en conservant dans ma ligne de mire une croûte alimentaire sèche ayant résisté à de trop hâtifs passages d'éponge sur le bois. « Pour être tout à fait honnête, on sent un peu trop l'influence de Houellebecq, je trouve. En très, très touffu. Trop même. Limite indigeste. »

À une table non loin de là, un couple de touristes mastiquait en silence. Employés à tirer un parti maximum des rondelles de pain déshydratées et du ramequin individuel de lait concentré sucré qui tenaient lieu de collation matinale pour les pensionnaires, ils tendaient l'un et l'autre l'air de rien l'oreille à ma conversation avec le patron. Moulevrier, qui avait manifestement mal accusé le coup de ma franchise, a replié son journal dans d'amples froissements de papier qui faisaient penser à une interminable déchirure. « J'étais sûr que vous me sortiriez Houellebecq », il a ricané un ton trop haut. Son ironie frontale a provoqué un frisson désagréable dans ma poitrine. De quelle argile étais-je façonné pour continuer ainsi de m'émouvoir, à mon âge, chaque fois qu'un individu me montrait les crocs ? « Mais vous ne manquez pas de talent », j'ai ajouté non sans veulerie pour tâcher d'adoucir son humeur.

« C'est ça », il s'est extirpé du transat tout en accompagnant son mouvement d'un hochement haineux du crâne. « De toute façon, vu les bouquins que vous écrivez, ça ne m'étonne pas que vous n'ayez pas aimé. » Mon cœur commençait à s'emballer sous l'effet de ses discourtoisies répétées. Pour toute réplique, j'ai haussé les épaules d'un air d'excuse, ce qui ne demeurait rien d'autre qu'un moyen pacifique de le confiner dans son impuissance. À côté, l'homme et la femme affichaient à présent un air affriandé par-dessus leur concentré d'orange industriel, un différend opposant deux compatriotes à huit mille kilomètres de l'Hexagone s'avérant toujours plus divertissant qu'une procession de moines ou les vestiges d'une citadelle médiévale.

« Je ne sais pas si vous comptiez rester une nuit supplémentaire », a poursuivi froidement

Moulevrier, qui, en retrouvant sa légitimité de logeur, tenait à tout prix à réévaluer nos rangs respectifs, « Mais si ce n'est pas le cas, il faudrait libérer la chambre avant onze heures. » Je n'avais pas programmé de quitter si tôt la pension, mais j'ai quand même opiné docilement tout en passant mon index dans l'anse du gobelet de café tiède, puis j'ai bu. J'ai conservé assez longtemps le bord d'étain ourlé du récipient entre mes lèvres pour inciter Moulevrier à prendre congé de moi sans rien ajouter. Et lorsque j'ai reposé la tasse sur la table, ainsi que je l'avais espéré, il avait disparu. Ne subsistait plus de sa rage que l'édition du *New Indian Express* chiffonnée au creux du transat désert.

J'ai tourné la tête, surprenant au passage les regards perplexes de ceux de la table voisine fixés sur le mien. Pour tenter de racheter leur indiscrétion, la femme s'est aussitôt composé à mon encontre une expression faciale particulièrement abêtie qu'on ne saurait dans le monde ailleurs qu'en France métropolitaine interpréter comme de la compassion scandalisée, cet alliage si spécifique et tout à fait hypocrite de raillerie complice et de capitulation face aux puissants. « C'est vrai que vous êtes écrivain ? » en a profité le mari sans cacher son avidité. Il cherchait sans doute à déterminer si mon niveau de notoriété justifierait ou non de relater l'épisode aux copains à son retour au pays.

Moins soucieux du confort des autres (ou moins craintif de leur déplaire, je ne sais jamais), j'eusse sans doute répondu avec économie pour les dissuader de prolonger un échange qui s'avérerait forcément incommodant de banalité. À la place, j'ai souri une affirmation aussi embarrassée qu'expéditive afin de me réfugier sans trop de remords dans mon *Routard*. Retour à la section « *Où dormir ? — Prix moyens : 900-1 500 Rp* », j'ai essayé de concentrer mon attention sur le reste des notices. L'une d'entre elles se concluait par ces mots :

> À l'intention de ceux qui douteraient encore qu'il fut un temps où l'on devisait ici dans la langue de Molière, précisons que cette pension joliment fleurie est gérée par une famille de Pondichériens parfaitement francophones.

« Rue d'Avron ? Vous habitiez rue d'Avron ? Dans le XXᵉ ? J'y crois pas ! » Sur fond de jardinières et de pots suspendus de platycériums, poinsettias, œillets et autres davallias qui jalonnaient le passage reliant les différents bungalows, le jeune homme a fait halte pour tourner vers moi un visage enchanté : « Je la connais comme ma poche, la rue d'Avron ! La famille de mon meilleur pote vit au 193. Les Édouard, vous les connaissez ? Vous étiez à quel numéro, vous ? » « Au 18 », j'ai répondu avec un entrain forcé, jugeant ses apocopes trop prononcées, et disproportionné son engouement pour un fait aussi peu remarquable. « Malheureusement non, je ne connais pas de famille Édouard. » « C'est hallucinant », il a persisté en reprenant son pas de parade, insensiblement dépité que les deux adresses n'eussent point coïncidé davantage.

Avec le pagne de madras premier prix qu'il portait noué autour de la taille, son BlackBerry dernier cri à la main, ses mules d'intérieur aux pieds, sa gouaille parisienne plus rétro que nature et ses lunettes fumées mono-écran relevées sur son crâne, il cultivait les paradoxes avec une ostentation toute politique : l'Occident d'accord, mais ses racines avant tout. Lorsqu'il a introduit son passe dans la serrure du bungalow puis ouvert, j'ai bien senti que la décontraction faraude avec laquelle il a abaissé la poignée puis rabattu la porte dans un mouvement trop seigneurial pour le standing proposé, j'ai bien senti que cette fragile arrogance était surtout destinée à me laisser entendre qu'il n'était homme à se laisser intimider par personne, et surtout pas par un Européen.

« Il n'y a pas encore la wifi dans les chambres, mais je vais la faire installer très bientôt », a procrastiné le type qui avait manifestement à cœur de me prouver qu'il vivait dans son siècle. « Mais vous allez être bien ici », il a ajouté tout en dispersant de sa semelle élimée un mince effritement de plâtre tombé sans doute de l'une des nombreuses aréoles vermoulues du plafond. Au même moment, un commis aux pieds nus est entré dans la chambre, un sac à dos de randonnée neuf d'une centaine de litres à l'épaule que, par contraste avec sa morphologie étique et ses hardes délavées, l'on ne pouvait raisonnablement pas imaginer être le sien. « Ce n'est pas mon sac », j'ai dit lorsque, avec la même indifférence résignée que s'il se fût agi d'un ballot de farine ou d'une falourde de bûches, l'homme s'est courbé pour coucher le paquet sur le béton brossé de la pièce.

« Ce n'est pas votre sac ? » Sans se soucier de contredire l'impression de civilité et de bienveillance qu'il cherchait à produire auprès de ses clients, l'hôtelier s'est aussitôt lancé à l'égard du porteur dans une colère de péplum, tonnante et timbrée, aussi antique que les rapports de maîtres à serviteurs au sein des grandes civilisations fondatrices. Front plissé, sourcils courroucés, raideur de commanderie, index comminatoire, grêle d'insultes : je ne doute pas qu'en mon absence, il eût parachevé l'ensemble d'une série de coups de pied. L'autre, qui s'inscrivait non moins dans l'immémoriale tradition des souffre-douleur nécessiteux, encaissait les remontrances en tamoul de son supérieur avec ces dodelinements de tête si caractéristiques, qui ne sont pas sans rappeler pour le profane ceux des chiens pendulaires sur les plages arrière des voitures. « Incapable, va, minable », a poursuivi en français le patron, dont les vertus d'improvisation semblaient s'essouffler.

J'élaborais de la main un timide signe de protestation lorsqu'une fille s'est plantée dans l'encadrement de la porte, ma Delsey à la main. « Ce ne serait pas à vous, ça, par hasard ? »

Au terme de mon précédent séjour dans la région, je m'étais rendu à l'évidence que je n'y tomberais sans doute jamais amoureux, principalement parce que la plupart des femmes n'y semblent pas accoutumées à rendre ou seulement susciter le regard de convoitise de l'étranger. Rien de tel qu'un désintérêt manifeste vis-à-vis des démarches ordinaires de séduction pour discipliner durablement le touriste célibataire aux abois.

Les volumineuses sandales d'homme en cuir de la fille, tout comme ses épais verres progressifs à sévère monture rectangulaire auraient d'emblée dissuadé le commun des mâles de détailler avec davantage de sagacité l'attrait puissant de ce qui y était abrité : deux rangées d'orteils effilés où les tertius étaient ornementés d'une bague en argent d'un calibre à peine supérieur à la circonférence des phalanges, ménageant ainsi entre la peau et le métal un jeu d'un subtil érotisme. Un peu plus haut, de fines chevilles qui s'évasaient en disparaissant sous la toile d'un jean perle à la découpe sans recherche, mais ennobli par le généreux et long fuselage des quadriceps et des ischio-jambiers. Une poitrine vigoureuse sous le T-shirt à mancherons couleur vert de vessie, des clavicules bien dégagées, de longs cheveux propres et des paupières sereines dépassant de lunettes portées légèrement de guingois : autant d'atouts explosifs que son aplomb naturel, quasi masculin, rendait étrangement inopérants aux yeux de la morale classique. C'était la Subcontinentale la plus étourdissante qu'il m'avait été donné de rencontrer depuis l'apparition, à la cinquième minute du film *The Darjeeling Limited*, de la comédienne britannique de souche sri-lankaise Amara Karan dans le rôle d'une hôtesse de wagons-lits. Et qu'au jugé elle fût âgée tout au plus de dix-neuf ou vingt ans n'arrangeait rien à l'affaire.

« C'est Annabelle, ma petite-cousine », s'est détendu le patron qui était certainement très loin de se figurer dans quelle ascèse vestimentaire totale j'étais en train d'envisager mentalement sa jeune parente. « Elle habite en France, elle, à Joinville-le-Pont, dans le Val-de-Marne. Vous connaissez ? » il a précisé avec cette fierté des familles rurales d'antan dont les enfants partaient étudier *à la ville*. « Euh, oui oui, je vois », j'ai répondu en feignant un paternalisme asexué qui s'assortissait mieux à mon âge. « Il y avait des studios de cinéma, par là-bas, dans le temps, non ? »

Ma remarque a eu pour toute conséquence chez le cousin un plissement méfiant de sa glabelle ainsi qu'une contraction réticente des deux pupilles au centre de ses iris. Quant à la jeune femme, elle m'a rétribué d'un sourire épanoui tout en rehaussant simultanément de l'index le pont de ses montures : « Exactement ! » J'aimais la vitalité panachée d'attention qu'exprimait son regard derrière les optiques. *Le charme c'est cela*, j'ai d'ailleurs pensé aussitôt : *des yeux qui parviennent à faire pétiller un visage tout entier.*

Puisque nul ne se décidait à ajouter à ce début de familiarité, je me suis avancé pour ôter des mains d'Annabelle la poignée de ma valise tout en captant discrètement par mes narines les fragrances mêlées d'agents lavants doux et de farine complète qui émanaient de sa silhouette immobile. Lorsque je me suis retrouvé seul dans ma chambre, quelques secondes plus tard, rien ne m'a paru plus significatif que de chercher à entretenir aussi longtemps que possible cette empreinte olfactive dans mon cerveau. Et comme la providence vous soumet parfois d'inopinés passe-droits qu'il ne faut pas chercher à démystifier, je ne me suis pas étonné plus que de raison quand, deux minutes plus tard, Annabelle est revenue seule frapper à ma porte, un rouleau neuf de papier sanitaire à la main. J'ai tout de suite identifié sur son visage la légitimité de l'auxiliaire d'hôtellerie s'acquittant irréprochablement de sa tâche, néanmoins altérée par la vague appréhension que je pourrais considérer que ce retour à la charge n'était pas si anodin qu'il en avait l'air.

Elle m'a présenté la chose avec une moue gênée qui semblait s'excuser d'un motif aussi trivial, mais tout en invitant cependant à la complicité : « Désolée », elle a commenté en haussant des épaules qui se résignaient non sans humour. « Merci en tout cas de m'avoir épargné d'avoir eu à vous le demander », j'ai souri aussi, bien que regrettant à rebours mes enchevêtrements syntaxiques. Comme elle tardait un peu à prendre congé, trop en tout cas pour que je n'en déduise pas qu'elle voulait rester, j'ai contenu le remous d'autocensure qui se signalait dans ma poitrine et je me suis lancé avec la bienveillance la plus désintéressée du monde : « À mon âge, je peux me permettre de vous le dire en toute simplicité : vous êtes extrêmement jolie, mademoiselle. »

Elle a accusé le choc comme quelqu'un qui finit par s'étonner d'obtenir un beau jour l'objet d'une longue et intense convoitise. Je l'ai sentie rougir sous les nuances alezanes de ses joues. « Et vous, elle s'est courageusement ressaisie, je ne sais pas quel âge vous avez, mais en tout cas, vous ne le faites pas. » Nous nous sommes regardés sans sourire cette fois, elle tenant bon sous le coup de sa propre effronterie, et moi soudain dévoilé, désarmé à mon tour de m'être laissé prendre au mot autant que par ses insinuations.

Mesurant parfaitement cette fois qu'il eût suffi d'une seconde supplémentaire pour ne plus laisser aucune chance au doute, elle a baissé la tête et m'a abandonné sans un regard sur le pas de ma porte, avec le rouleau de papier teinté cuisse de nymphe pour os à ronger.

Dès mes premiers pas sur les dalles disjointes et abrasives de grès *kandla* des trottoirs, j'ai déploré de m'être trop apprêté pour ce type de ville. Les semelles en cuir végétal de mes souliers n'étaient à l'évidence destinées qu'aux lisses enrobés des voies piétonnes d'Europe, et les rabats d'ourlets trop abaissés de mon pantalon clair s'encrassaient à vue d'œil dans la poussière. Quant à mes fonctions sudoripares, tout comme la chemise que j'avais fait repasser à la pension avant de sortir, elles le céderaient bientôt à un soleil et une humidité qui ne faisaient pas de manières.

Mon ordinateur portable sous le bras, j'ai donc marché jusqu'au salon de thé de la corniche Goubert avec une lenteur précautionneuse que je m'employais à faire passer pour de la flânerie aux yeux des autres piétons. Parvenu à destination, j'ai rapidement identifié en terrasse de l'établissement une table sans miettes ni taches de graisse à peu près hors de portée des volutes de cigarettes des clients environnants, commandé un café long auprès du garçon puis activé mon appareil tout en repoussant ma conviction que ce que j'étais venu entreprendre ici et qui demeurait par principe le seul mobile défendable de mon existence n'était d'aucune valeur au sein du monde mutualiste des hommes.

Pour ajouter à ce fluide de néant qui commençait à se répandre dans mon ventre, la mer, qui débutait à une trentaine de mètres de là, étalait une réticence grisâtre qui rappelait celle des Pondichériens eux-mêmes, dont j'avais fini par comprendre qu'il était tout à fait vain d'essayer de retenir l'attention ou de déclencher le sourire. Même la ligne d'horizon et les pétroliers quinquagénaires qui croisaient au large dans le soleil matinal ne semblaient rien promettre. Devant moi, le sentier de promenade était jonché de poches imprimées d'emballage et de coques évidées et jaunies de jeunes noix de coco. Plus loin, les cavités de la digue de rocaille exhalaient de désagréables relents de défécation sauvage.

Sur mon écran, page deux, une phrase laissée en suspens la veille attendait la suite. Pris de vertige, j'ai détourné mon regard. À droite, un jeune laveur de carreaux maniait la raclette à vitres avec une confondante dextérité : une main badigeonnait copieusement la surface à nettoyer à l'aide d'un chiffon imbibé d'eau savonneuse, tandis que celle qui empoignait l'instrument éliminait aussitôt le liquide dans d'amples et vives arabesques sans abandonner au passage le moindre reliquat de mousse. Un instant, j'ai envié la modestie industrieuse de cet homme qui, en plus d'agir sans se poser de questions, maîtrisait un art simple et utile à tous. Jamais pour ma part je n'avais pris la peine au cours de ma vie de me livrer à un apprentissage concret : plomberie, commerce, droit ou botanique, m'étant laissé convaincre depuis toujours que l'écriture représentait bien davantage qu'un caprice bavard d'oisifs mélancoliques d'extraction bourgeoise, surtout en France où, pour paraphraser une remarque du titan litté-raire García Márquez, l'imaginaire collectif se bornait au prix des œufs et des tomates sur le marché.

J'ai ramené mes yeux sur l'écran. Non seule-ment ma phrase patientait toujours, mais il lui semblait bien égal que je finisse ou non un jour par lui ajouter quelque chose. Comme les cap-teurs de la fonction sans fil de mon appareil ne détectaient aucun réseau parent à proximité et qu'en conséquence il ne me serait pas loisible de tuer mon temps en d'erratiques errances sur internet, j'ai refermé l'ordinateur puis employé les deux heures suivantes à regarder défiler jog-geurs, cyclistes et marchands ambulants sur la corniche.

À midi, gratifiant le serveur d'un pourboire proportionnel à mon embarras d'avoir si long-temps mobilisé une table en pure perte com-merciale pour l'établissement, je me suis levé. Le temps d'un détour par la supérette pour coo-pérants du quartier, d'une collation expéditive sur le bord du matelas de ma chambre au guest-house, de ressentir perler les minutes jusqu'à quinze heures sous les pales du ventilateur de plafond, d'affronter de nouveau la rue active en quête d'une terrasse en ville où déployer mon ordinateur portable puis de songer à mon dîner, viendrait l'heure d'en finir tout à fait avec ces vingt-quatre heures jusqu'au matin suivant.

« On va au cinéma cet après-midi avec des amis. Ça vous dirait de venir avec nous ? » Annabelle était venue frapper à ma porte avec toute la légèreté que lui autorisait le caractère en apparence innocent de sa proposition. Sans paraître se soucier de l'effet que pouvait produire chez certains la vision d'un Occidental mûr chaperonnant au seuil d'une salle obscure une poignée de locaux en âge d'être ses enfants. Et sans s'imaginer une seconde que j'étais bien le dernier individu susceptible de se réjouir à la perspective de nouvelles acrobaties de convivialité.

La main à plat sur le chant de la porte, je ressentais en effet cette contrariété qui me paralysait régulièrement depuis l'enfance, lorsque je percevais les initiatives de mes camarades comme autant d'intrusions dissonantes dans ma tranquillité, tout en pressentant que rester seul chez moi à ne rien faire ne m'avancerait pas davantage. Découragé que j'étais déjà par la perspective de chaussures de ville à lacer, de manteaux à boutonner, de portes d'entrée à refermer derrière soi, de passages piétons à emprunter dans l'âpre et sonore oxygène urbain, de métros à prendre, tout cela en vue de divertissements collectifs qui s'avéreraient la plupart du temps décevants. J'ai cependant accepté la proposition d'Annabelle, craignant qu'un refus ne dissipe la grâce de nos audacieux échanges de politesses. Ainsi, peu avant seize heures, rafraîchi, recoiffé, chaussé et boutonné, me suis-je retrouvé comme à treize ans en train de m'efforcer d'harmoniser le rythme de mon pas avec celui de quatre ou cinq autres garçons et filles qui ne s'accablaient pas d'autant de prévenances que moi.

Au terme des présentations, j'avais été en mesure de conserver en mémoire que les prénoms de chacun étaient à consonance chrétienne et que, comme Annabelle, la plupart d'entre eux vivaient en région parisienne. Ils évoluaient sur les trottoirs de la partie indienne de la ville, plus populaire, avec ce touchant mélange d'idéalisme et de maladresse propre à la plupart des jeunes Français issus des diasporas du Sud de retour au pays des parents pour les grandes vacances. Cette double et contradictoire tentation de se fondre dans la masse et de souligner sa différence. La source retrouvée, mais pas si familière que prévu. L'allure de promenade que l'on décontracte trop, les fous rires sans motif, les quelques mots de tamoul qui ornementent la conversation pour ne pas laisser l'authentique autochtone s'imaginer qu'on ne maîtrise pas l'idiome, les vêtements et accessoires neufs achetés en Europe qu'on exhibe avec une fierté cruelle aux yeux des passants moins fortunés, l'omniprésente misère dont on fait mine de ne pas s'émouvoir, la vie en France qu'à l'occasion on se surprend à évoquer avec tendresse. Contraint à une amicalité minimale, j'opinais en souriant à des commentaires que j'écoutais d'une oreille distraite, davantage employé à conserver la silhouette d'Annabelle dans mon espace visuel latéral, et envahi du même malaise chaque fois que, dans le profil d'une joue ou à la faveur d'un involontaire déhanché, me frappait l'évidence de sa jeunesse.

L'industrie bollywoodienne semblait, comme d'autres emblématiques institutions du pays, avoir à cœur d'éradiquer pour de bon son pittoresque de légende. Fini les zooms-éclairs téméraires longue distance sur un Browning vengeur, fini les bracelets de force et les poignées d'amour des jeunes premiers, fini les paupières vertueuses et les mains jointes sacrificielles de leurs fiancées éplorées. La pellicule photographique 35 mm avait été remplacée par des caméscopes numériques haute définition, et les arrangements célestes pour cordes dans les parties orchestrales de la bande originale par des séquenceurs logiciels de musique au mètre. Quant aux deux héros mâle et femelle, chacun aurait tout aussi bien pu incarner un très compétitif modèle publicitaire pour chaîne internationale de centres de remise en forme ou pour ligne de soins capillaires aux oligo-éléments.

« Ça vous a plu ? » s'est inquiété l'un des garçons de la bande au sortir du multiplex. Dans les moments forts du film, j'avais repéré qu'il se tournait vers moi depuis son siège pour tenter de déterminer à mon seul profil mon degré d'intérêt pour ce qui se passait sur l'écran. « Euh, oui », j'ai répondu avec une modération qui entendait ménager nos susceptibilités respectives, « Il y a énormément d'action et les chorégraphies sont parfaitement coordonnées. Surtout la dernière, sous la pluie, avec tous les habitants et les commerçants du quartier. »

« Vous avez vu ça ? » s'est aussitôt emballé le type qui cherchait à tirer un parti optimiste de ma réponse. « Les cascades, les effets spéciaux, le jeu des acteurs ? C'est moderne, hein ? Je ne vois vraiment pas ce qu'il y a de plus dans les films européens. » J'ai hoché mécaniquement la tête en détaillant avec une attention toute particulière une blatte lucifuge en quête effrénée d'une fracture dans la discontinuité linéaire du trottoir, étincelant sous les enseignes environnantes. « Et même américains », il a ajouté après une brève seconde d'hésitation.

J'ai relevé la tête. Le soir était enveloppant comme un bain tiède. Avec la foule revigorée par le crépuscule, les tricycles motorisés qui se faufilaient pleins phares dans le trafic et les étals aux couleurs primaires des marchands sublimés par les réflecteurs halogènes des boutiques, la ville à cette heure naissait pour la deuxième fois de la journée. En regardant Annabelle rire sans rien accuser d'autre aux commissures de ses lèvres que deux plis parfaitement régénérés de post-adolescence, j'ai compris que le moment était venu de la rendre à ses contemporains sans m'attarder davantage : « Bon, eh bien, je crois que je vais y aller, moi », j'ai déclaré à la ronde, le regard aimanté par un éventaire de mangues Alphonso disposées chez un détaillant, à une trentaine de mètres de là.

« Vous rentrez déjà ? » s'est étonnée Annabelle sans chercher à déguiser en présence de ses amis la nette nuance de déception qu'il y avait dans sa voix. Troublé par cet aveu indirect de sentiment à mon égard, j'ai doucement haussé les épaules, comme pour lui souligner que, compte tenu de nos disparités générationnelles, c'était la seule solution envisageable.

« Vous arriverez à retrouver le chemin tout seul ? » elle a repris aussitôt dans un double battement de cils. « Euh, oui », j'ai répondu en tendant un bras vague dans la perspective la plus engageante du boulevard. « C'est par là, non ? »

« Allez, je vous raccompagne. »

Annabelle s'est révélée moins intrépide lorsque, ayant convenu avec les autres de l'adresse où elle les rejoindrait après m'avoir déposé à la pension, nous nous sommes retrouvés tous les deux à franchir jardins publics et carrefours dans un silence pensif, trop dégrisés l'un et l'autre par le poids d'un enjeu cousu de fil blanc pour se faire la conversation. J'observais en coin l'ombre à paupières exagérément argentine qu'elle s'était appliquée sous ses lunettes avec une coquetterie innocente, pensant que seule cette inaptitude profonde à toute futilité pouvait justifier chez elle qu'elle se fût décidée pour un homme comme moi, de deux fois son âge.

Il y avait même de l'intransigeance dans cette manière qu'elle a eue, là où perpendiculairement à la rue débutait l'étroite allée de palmacées et d'orchidées qui menait à la réception du guesthouse, dans cette manière qu'elle a eue, après que j'ai eu poussé la grille et l'ai eu remerciée, dans la manière qu'elle a eue de s'engager à son tour dans la pénombre, de faire halte au bout de trois pas et de me fixer avec une détermination qui ne nous laissait plus le choix. Cédant alors à un vertige ambigu de désir et de bon sens, je me suis penché pour l'enlacer aussi pudiquement que possible, évitant son visage au passage mais pas le parfum de seigle de boulangerie de ses cheveux ni le contact complet de ses seins contre ma poitrine, au point de percevoir qu'à l'intérieur sa chair était traversée de tressaillements aussi réguliers qu'un courant à basse tension.

Je cherchais des mots raisonnables à chuchoter contre sa nuque lorsque quelqu'un a poussé la grille d'entrée. Tout en esquissant, Annabelle et moi, le même mouvement de recul trop hâtif, nous avons reconnu son cousin. Laissé tout aussi interdit que nous par la situation, il tenait dans sa main une liasse légère de billets de banque neufs, ainsi qu'un bref reçu de papier thermique indiquant qu'il venait probablement de retirer la somme au guichet automatique de l'agence bancaire d'à côté. Le temps pour moi de conformer mes facultés d'improvisation verbale à ce brutal changement de cap, l'homme s'était rembruni et ordonnait à présent à Annabelle de rejoindre la pension dans un tamoul de mauvais augure, c'est du moins ce que j'ai déduit du bras qu'il tendait avec une autorité sans appel en direction du bâtiment tout en la tenant en joue du regard.

« Attendez », j'ai tenté pacifiquement à l'adresse du logeur tandis qu'Annabelle s'exécutait sans un mot, tête baissée. « Attends, Annabelle. »

« Vous, ta gueule », il m'a aussitôt interrompu sans prendre la peine de tourner ses yeux vers les miens, et confirmant par cette tournure toute personnelle les épisodiques défectuosités de son français. « Dites donc, je ne vous permets pas », je me suis astreint avec toutes les peines du monde à formuler en me demandant si assortir ma réplique d'un ou deux pas indignés en direction de l'homme ne lui conférerait pas une dimension plus crédible.

Sans commenter davantage, le cousin a d'abord pris le soin de ranger ses roupies en les coinçant à la taille de son *veshti*. Se penchant ensuite du côté des boutures de dendrobiums, il a disparu parmi le feuillage pour en réapparaître au bout de quelques secondes, brandissant un tuteur en métal galvanisé assez long pour me contraindre, le cas échéant, au silence évoqué plus haut et, dans tous les cas, à regagner ma chambre sans plus tarder pour y remplir et boucler ma Delsey. Au passage, le récépissé bancaire s'était échappé de son madras. Au terme d'un vol bref et anarchique, l'objet avait fini par se poser sans encombre entre les limbes foliaires d'un *Phoenix canariensis* nain.

Agir pendant que c'est chaud, j'ai pensé en découvrant que les locataires de Poobalarayar avaient, en quittant la maison, laissé s'accumuler les souillures de sapotilles matures au milieu de la cour, s'oxyder les projections d'huile de friture aux alentours de la gazinière, croupir l'eau de rinçage des légumes au fond du bac fraîcheur du réfrigérateur, s'encroûter les fragments d'excréments sur la céramique de la cuvette des waters, et j'en passe.

Prenant de vitesse ma force d'inertie toujours menaçante, j'ai donc déposé la Delsey dans le salon puis fait aussitôt demi-tour pour de nouveau me résorber dans la ville, où je savais qu'il ne me serait offert d'autre éventualité que me tenir debout et me diriger vers un objectif déterminé et cohérent, comme tout le monde. J'ai fini de recouvrer mes vertus conformistes au supermarché du quartier, plus exactement à la section dédiée aux produits d'entretien ménager, où je suis demeuré de longues minutes indécis devant l'éventail des fragrances de synthèse des détergents et l'indice d'absorption des quelques modèles proposés d'éponges récurantes.

De retour chez moi, j'ai éprouvé une complétude simple à balayer, brosser, rincer puis assainir les surfaces. De quoi me donner le sentiment, quelques heures plus tard, de mériter ma conserve de palourdes en saumure, que j'ai engloutie à même l'oxyde de chrome de la boîte avec la satisfaction d'une faim saine et du travail accompli. Le temps de gratter d'ultimes dépôts de calcaire accumulés dans les sillons de l'égouttoir attenant à l'évier, puis de ficeler mon sac-poubelle, je me suis retrouvé au lit dans des draps neufs avec le sentiment d'être en train d'inscrire le premier mot sur une nouvelle page blanche de la généalogie des lieux.

À moins que ce ne fût le produit d'une concession du propriétaire lui-même, un précédent occupant avait laissé à disposition dans la chambre un modèle au moins trentenaire de radio-réveil lumineux à piles encore en état de fonctionner. En raison de la dégénérescence avancée du procédé d'affichage à cristaux liquides, l'on observait à chaque passage de minute une lente décomposition des sept segments rétroéclairés du chiffre concerné avant la formation du numéro suivant. Toutes les dix minutes, la combinaison de deux chiffres se disloquant simultanément créait un effet de mutation générale du système. Chaque heure, l'on assistait ainsi à un véritable ralenti d'effondrement.

« Vous n'êtes pas mal pour un Français. » Malgré son sourire viril et ses vapeurs buccales de Pilsener, la fille ne plaisantait pas. Parce qu'il n'y a que les hommes français eux-mêmes pour entretenir leur réputation prétendument universelle de séducteurs et d'amants. J'ai souri à mon tour, toujours flatté les rares fois qu'au cours de ma vie j'avais eu l'opportunité d'être complimenté par des Anglo-Saxons.

« Vous n'êtes pas grand, comme beaucoup de Français. Mais, je ne sais pas, vous, vous avez quelque chose. Et puis, vous avez l'air propre. » Sans chercher le moins du monde à se dédommager de sa franchise, elle a empoigné l'anse de sa chopine puis porté à nouveau la mousse de houblon à ses lèvres avec l'évidence d'une héritière naturelle de traditions nationales directes et vigoureuses, comme tendre son majeur sous le nez d'officiers de police anti-émeute ou festoyer jambes nues en simple T-shirt et minijupe les samedis soir d'hiver de l'Albion continentale. Il ne me déplaisait pas d'être ainsi maquignonné au comptoir d'un bar par l'un de ces archétypes féminins blonds que le cinéma et quatre décennies de séries télévisées ont rendus familiers aux peuples latins malgré des divergences culturelles majeures qu'on ne saisit pas toujours à l'écran.

Car nous ignorons à peu près tout, en réalité, de ces femelles septentrionales que nous n'avons le loisir de croiser ailleurs que dans les salles d'embarquement d'aéroports, les réceptions d'hôtels ou les queues des grands musées d'État. Dont le grain de peau héliophobe, le bleu pur sans compassion du regard et le soin corporel inné sont une apologie vivante de l'eugénisme aryen en regard de vos follicules pileux facétieux, de vos canines en quinconce et de vos butées olécrâniennes trop saillantes. Moins irréelles que leurs cousines américaines, lesquelles évoluent toujours en erreurs spatio-temporelles parmi la fruste foule parisienne avec leurs socquettes blanches irradiantes et leurs shampoings conditionneurs, moins fascinantes elles arborent néanmoins avec une fluidité comparable le brassard pour baladeur numérique à l'heure du jogging quotidien, puis le tumbler isotherme de thé organique entre les repas.

« Romancier ? » Dans l'expression de surprise affichée sur son visage, je ne retrouvais pas ce préalable de fascination du public français vis-à-vis des livres et de ceux qui les écrivent, mais plutôt une ouverture d'esprit rationnelle ne demandant qu'à être convaincue. « Et quel genre de romans ? » Face à cette paire d'yeux si froidement bleus et ces cils d'un transparent presque rose, je me faisais l'impression d'un petit producteur vinicole suant et ventru exposant ses crus sur un marché du Languedoc. « Euh, eh bien, euh, c'est difficile à dire. » Incapable de tirer parti des trois secondes qu'elle m'octroyait pour ma propre publicité, j'ai préféré noyer le poisson en empoignant à mon tour ma bouteille, tout en déportant mon regard vers les autres clients de ce café Nouvel-Âge sur mesure pour jeunes touristes compatissants, médiocre alternative au mausolée de solitude en quoi se transformait ma maison chaque soir à l'heure des batraciens.

« C'est fantastique », elle a conclu dans l'un de ces sourires outrageusement enthousiastes et endogènes à sa race qui peuvent, peut-être à tort, passer sous d'autres latitudes pour de l'hypocrisie. C'est d'ailleurs sur un mode identique qu'elle m'a dressé un inventaire assez attendu des mobiles d'intense ravissement que lui procurait la région depuis son arrivée : le si charmant inconfort des trains de nuit, la symphonie quotidienne du tumulte urbain, le festival permanent de couleurs, l'univers de saveurs, le grand 8 des senteurs, les temples, les paysages et les gens, les bijoux, le maquillage et les costumes, bref, un fiable retour sur investissement à court terme pour cette attachée commerciale en communication qui exerçait onze mois et demi par an sans discontinuer du côté de Manchester.

J'étais parvenu à ce stade particulier d'une conversation tenue dans une langue étrangère où l'on ne distingue plus, de l'état de schizophrénie qui en résulte ou de l'indice de concentration d'alcool circulant dans vos veines, lequel des deux facteurs a fini par vous rendre tout à fait inintelligibles les propos de votre vis-à-vis. La condensation engendrée par ma Kingfisher froide dans la tiédeur de la nuit avait fini par confluer au cul de la bouteille pour former une minuscule rigole sur le comptoir, laquelle progressait au gré des cannelures du bois de tamarinier. Je guettais non sans impatience l'instant où la goutte de tête atteindrait le bord de la planche et entraînerait dans le vide ce torrent miniature lorsque la fille m'a posé une question. « Euh, hein ? », j'ai souri en interrompant ma contemplation pour éviter de passer pour inattentif. Elle a répété.

« Chez moi ? Là ? Tout de suite ? Vous êtes sûre ? » J'ai lutté afin de concentrer toute mon attention sur son regard où dansait un troublant mélange de convoitise et de cruauté. Il me semblait que c'était autant l'alcool que la perspective d'enrichir le programme de ses vacances d'un authentique scénario de comédie romantique (l'ivresse dans la nuit tropicale, l'amant étranger d'un soir) qui la dévergondaient de la sorte.

Après une brève halte à son hôtel où elle est remontée dans sa chambre prévenir une meilleure amie dysentérique à la diète, nous nous sommes rapidement retrouvés dans la mienne, brutalement dégrisés l'un et l'autre par les effets conjugués des cirrostratus nocturnes pré-pluvieux dehors, du silence de cloître de la pièce et de l'ascétisme sans esthétique de mon ameublement. « Whatever », elle a soupiré après une seconde d'hésitation, ôtant son T-shirt puis sa culotte avec cette ardeur qu'on manifeste sur le chemin de la douche les petits matins de janvier.

Aussi n'ai-je pas été si surpris que cela, au terme d'un accouplement frugal et salubre, de la voir s'écarter puis se mettre à sangloter à l'extrémité de mon matelas, d'où elle ne m'offrait plus rien que ses omoplates semées d'éphélides qui me faisaient penser à une cassonade émiettée. En lisière de drap, comme une bouche cousue, son sillon interfessier boudait aussi. « Quelque chose ne va pas ? » je me suis risqué en fronçant dans le vide des sourcils secourables. Comme rien n'évoluait du côté de la région occipitale de l'intéressée, j'ai tendu la main vers sa tempe disponible et j'ai commencé d'une pression prudente à lisser ses cheveux dans un prolongement inverse de celui de son regard : « J'ai fait quelque chose qu'il ne fallait pas ? »

Les soubresauts réguliers qui secouaient sa masse corporelle se sont interrompus net : « Pourquoi est-ce que c'est nécessairement à cause d'un homme qu'une femme serait en train de pleurer ? » elle a exagérément articulé en tournant vers moi un visage tout autant irrité par les larmes que plissé par une suspicion ulcérée. « Ça n'a rien à voir. » J'ai retiré ma main comme d'une tige florale dont on ne se doutait pas qu'elle était couverte de microscopiques épines, tandis qu'elle se levait dans un sonore et ultime ravalement de ses humeurs nasales.

« Moi mâle, toi femelle », elle m'a parodié d'un ton caverneux tout en frappant du plat de son poing entre ses deux seins. À présent tout à fait rétablie, ses larmes séchées, elle s'est baissée pour ramasser ses affaires au pied du lit. « Voilà bien une pathétique remarque de macho français », elle a ajouté avant de déployer son T-shirt entre ses deux bras tendus, puis d'y passer son crâne aussi décidément qu'on se leste d'une cotte de maille.

L'affichage horaire indiquait plus de la demie sur mon écran. J'ai effectué la soustraction : déjà près de cinquante minutes que, mes doigts au garde-à-vous sur le clavier, j'évaluais les mérites d'une locution adverbiale et d'un participe présent pour l'attaque de ma première phrase de la journée. Dans *Bag of Bones*, Michael Noonan, lui, goûtait avec une humilité de convalescent son retour à l'écriture après quatre années d'inactivité totale : douze pages complètes de texte produites sans forcer en quelques heures à peine de décrassement de ses facultés intellectuelles. De quoi lui ménager, en outre, le luxe de quelques courses au supermarché du village et d'un long bain délassant au lac avant la tombée de la nuit.

Douze pages. J'ai ôté mes mains du clavier tout en m'affalant de découragement dans le creux de mon fauteuil de direction. Derrière la porte, je percevais la caresse raboteuse de la balayette en paille de riz qu'à l'extérieur la femme de ménage passait sur le granit des coursives. Après les feuilles mortes et la poussière, elle inonderait le patio au jet, verserait quelques centilitres de dégraissant universel dans le seau essoreur en plastique, puis consacrerait les vingt minutes suivantes au serpillage exhaustif des surfaces habitables de la maison.

J'ai levé les yeux vers le plafond. Non loin du module intérieur de climatisation, une mouche tentait de s'extraire des fibrilles d'une toile orbiculaire d'araignée, alternant battements d'ailes éreintants et phases résignées d'apathie. L'aranéide, en alerte à l'extrémité du cadre porteur, hésitait néanmoins à se précipiter sur sa proie, comme si, accoutumée à d'éternelles épreuves de patience, elle était soudain frappée d'indécision face à l'objet inespéré de son attente.

On a frappé à la porte. Dehors, les rumeurs de balayage avaient cessé. « Entrez », j'ai crié aussi gaiement que possible tout en me redressant sur mon siège pour adopter face à mon ordinateur la posture de quelqu'un d'assez absorbé par sa tâche pour accepter d'être dérangé. Comme prévu, c'était la femme de ménage. « Je peux ? » elle m'a humblement mimé de ses doigts en désignant à la fois la paille de riz et le plancher d'acajou de la pièce. J'ai acquiescé uniquement par crainte de l'indisposer par un refus. Malgré mes faux airs de compétiteur d'échecs lorsque je me suis retrouvé face à l'écran, je ne pouvais m'empêcher de me laisser distraire par le rythme du balai s'accordant aux déplacements silencieux de mon employée, cette fragile combinaison des bruissements textiles de son sari de coton et des brefs crépitements de ses bracelets de cheville.

J'ai à nouveau regardé vers le caisson du climatiseur. Le diptère avait redoublé de fébrilité dans le piège, escomptant sans doute une défaillance de la spidroïne du fil de soie. Quant à l'araignée, avec ses chilécères à présent bien apparents au centre de l'appareil buccal, elle avait progressé de quelques centimètres prometteurs. Bref, je m'apprêtais une fois de plus à savourer le spectacle de l'ordre immuable des choses lorsque, aussi indifférente qu'un essuie-glace par temps de bruine, la tête du balai a fait irruption dans mon champ de vision et effacé d'un coup l'épopée miniature qui se déroulait en direct sur le mur. Le temps d'identifier des résidus filamenteux et blanchâtres de toile enchevêtrés parmi les tiges de paille, j'ai rencontré le regard embarrassé de la femme de ménage, laquelle semblait craindre que je ne lui reproche de n'avoir procédé plus tôt à l'éradication de l'impureté. « Merci », j'ai souri sur un ton qui dissiperait chez elle toute appréhension, avant de me tourner et de reprendre mes poses cogitatives. J'ai relevé la tête une dernière fois. Sous le climatiseur ne subsistait plus rien que le mur nu, tout aussi glabre que le fichier en souffrance sur l'écran de mon ordinateur.

Sur les photographies de ses dernières années, le visage de Mirra Alfassa (*La Mère*) traduit une bonté obscure, assez courante dans la frange optimiste des initiés aux sciences non conventionnelles. Parmi l'épaisseur flaccide de ses traits androgynes, quelque chose dans le regard entretient une veille transséculaire et apatride. C'est elle qui a présidé à la genèse de la communauté internationale d'Auroville, à moins de dix kilomètres au nord de Pondichéry, enclave expérimentale de spiritualité et de syncrétisme culturel dont certains ont pu penser, le 28 février 1968, jour officiel de son inauguration, qu'elle finirait un jour par rendre meilleur le reste des hommes et du monde. Bref, une probabilité de plus de régénérer ma veine romanesque au point mort.

L'*aurocommuniquant* qui m'attendait à la descente du taxi s'est avancé vers moi avec une charité de bonne volonté : « Bienvenue dans l'aventure Auroville », il a récité en révélant un phrasé allègre à inflexions méridionales, mais sans s'empêcher au passage de jeter un œil discret à sa montre. Il était vêtu de lin neuf et repassé aux couleurs tempérées, et chacun de ses mouvements entraînait des effluves de lotion d'après-rasage que la touffeur de l'air absorbait aussitôt. « Vous connaissez un peu la pensée de Mère ? », il s'est inquiété sur un ton de feinte sévérité, un peu comme un enseignant demanderait sans illusions à un cancre chronique s'il a bien repassé les révisions du jour.

« Parce que moi, je ne me lasse pas de la relire. » Tourmenté sans doute de compter parmi les affiliés tardifs à la communauté, l'individu cherchait à compenser toute une carrière lucrative effectuée dans la grande distribution

en Europe par un zèle de pénitent, qu'il trans-
cendait néanmoins en cheminant sur le domaine
avec la confiance un rien crâne du golfeur sur
le green. Et, de fait, avec ses pelouses scarifiées,
ses boisements sarclés et ses charmilles quotidiennement désherbées, les lieux pouvaient
évoquer les dépendances d'un complexe éco-
hôtelier haut de gamme ou un parc de délasse-
ment pour congressistes internationaux.

On y croisait essentiellement des touristes,
classes émergentes de Bengalorais ou Mum-
bayites auxquels des équipes de volontaires auro-
villiens indiquaient régulièrement les poubelles
publiques pour leurs canettes alimentaires vides
ou leurs serviettes jetables tachées de reliquats
de friture. Les Occidentaux, eux, adoptaient le
recueillement décrispé de rigueur dans les sanc-
tuaires traditionnels de la contre-culture. « Si
vous n'avez pas d'envie particulière, je peux
vous emmener directement au Matrimandir », a
suggéré mon hôte, qui multipliait les raccourcis
avec ses obligations humanistes bénévoles. « Vous
voyez ce que c'est, hein, le Matrimandir ? »

À la guérite d'accueil, coupant ostensible-
ment une file bruyante d'autres candidats à une
séance minutée de méditation au Matrimandir,
il a salué les deux préposées du jour aux tickets
d'accès à la fameuse salle sphérique sur un
mode de camaraderie qui les a laissées de
marbre. « Comment ça, mon invité ne peut pas
rentrer ? Tu plaisantes, Nicole ? » Tout en me
désignant de l'index, il a froncé les sourcils dans

un reste incrédule de sourire. Je sentais que, au-delà de mes intérêts, c'était le bien-fondé de sa propre reconversion au sein de la communauté qu'il s'agissait pour l'homme de défendre face à la sexagénaire Nicole, dont l'aisance à l'hostilité ainsi que le fichu noué sur le crâne façon kolkhoze ne faisaient aucun doute quant à son droit d'antériorité : « Là, on a un voyagiste avec quarante personnes qui doivent reprendre l'avion à Chennai à dix-sept heures. Ils sont prioritaires, Jacques. Vous faites la queue comme tout le monde. »

Tandis qu'elle se détournait pour reprendre dans un anglais paresseux ses recommandations pratiques à l'endroit de chaque nouveau visiteur de la file, je ne pouvais détacher mes yeux d'un flocon fauve de cérumen qui, sans l'obturer tout à fait, encombrait abondamment l'entrée de son canal auriculaire. « Ça fait trois jours que j'ai prévenu », s'entêtait le retraité qui renouait pour l'occasion avec son opiniâtreté de commercial d'antan. « Monsieur a fait le déplacement exprès. » Il continuait à me prendre à témoin de ses doigts préarthritiques.

« Euh, je vous assure, il n'y a rien de grave, je peux très bien revenir un autre jour », j'ai tenté de m'interposer dans un fragile mouvement d'apaisement. « Si, c'est grave », s'est insurgé le type sur un ton cette fois de syndicaliste retors. « C'est très grave, même. Que je sache, cette ville a été construite avant tout pour que chacun y respecte les droits de tout le monde et tout le monde les droits de chacun, non ? », il a déclamé à l'intention de la femme, laquelle demeurait aussi imperturbable que les cristaux de sébum en apesanteur dans son oreille. « Et ça, Nicole, tu le sais très bien, ça, Mère ne l'aurait jamais toléré. »

J'étais en train de désobstruer les fines rainures séparant les touches alphabétiques de mon clavier d'ordinateur avec l'angle rigide d'une feuille de papier blanc lorsque le timbre de mon Nokia réservé aux télémessages a discrètement résonné dans la pièce. Le cellulaire ne m'avait pas signalé de réception de SMS depuis mon arrivée dans le pays, lorsque m'étaient parvenues par rafales les notifications automatiques par mon opérateur français de forfaits préférentiels pour les séjours en Inde de ses usagers.

Tu peux me rappeler ? L'économie d'effusions de Sylvain m'a d'autant plus mis en alerte qu'il ne se manifestait jamais sans raison valable, généralement déplaisante. Sans me formaliser de son penchant naturel pour la lésine ni songer pour ma part à une solution d'appel moins coûteuse, j'ai composé directement son numéro.

Aussi peu attendri que si je téléphonais depuis l'arrondissement voisin, il m'a précisé qu'il avait pris la peine de mordre sur ses heures de travail pour aller retirer au bureau de poste du boulevard de l'Hôpital une lettre recommandée qui m'était adressée. « C'est un cabinet d'avocats », il a ajouté avec une circonspection que, sous la sobriété de son ton, je devinais jubilante. « Tu veux que j'ouvre ? »

> Monsieur,
> Après consultation de l'acte notarié du 6 mars 2002 de l'évaluation de vos biens ainsi que de ceux de ma cliente, Mme Nathalie da Silva, et des opérations de partage qui en sont résultées dans le cadre du règlement de votre divorce, il apparaît que vous n'avez pas fait état de la totalité du montant des droits d'auteur que vous aviez perçus à l'époque, plus spécifiquement ceux de La Règle de Troie, votre roman paru en septembre 2000 aux éditions Vadel.
> À la question « Combien vous aura rapporté votre plus gros succès ? », posée par un internaute à l'occasion d'un forum en direct publié sur la version en ligne de Lisons Magazine, le 12 mai 2007, vous répondiez en vous référant à l'ouvrage susmentionné (je cite) : « À peu près le prix d'une Ferrari neuve sans les options. »
> Vérifications faites auprès de votre diffuseur, vous aviez, au 31 décembre 2001, vendu 113 412 exemplaires de votre livre. Si l'on considère les termes d'un contrat standard de publication d'une œuvre littéraire en France (10 % de droits perçus par l'auteur jusqu'à 10 000 exemplaires vendus, 11 % jusqu'à 20 000, 12 % jusqu'à 30 000, 13 % dès 30 000 exemplaires), et le prix de vente publique de La Règle de Troie (15,50 euros), votre roman vous aura rapporté au minimum 228 525 euros, soit environ dix fois la somme que vous aviez déclarée devant notaire le 6 mars 2002 (23 237 euros).
> En conséquence et en vertu de l'article 271 du Code civil relatif aux modalités de calcul de la prestation compensatoire dans une procédure de divorce, je vous informe que ma cliente a initié auprès du Tribunal de grande instance de Créteil un recours en révision du jugement du 5 juillet 2002 (articles 593 à 600 du Code de procédure

*civile) au motif d'*Escroquerie au jugement par dissi-
mulation des revenus *(article 313-1 du Code pénal), et
vous réclame, au regard de l'ampleur du préjudice qu'elle
subit depuis neuf ans, 200 000 euros de dommages et
intérêts.*

*

Quelque chose dans l'hygrométrie, la pureté
de l'oxygène ou la pression barométrique avait
allégé l'atmosphère et comme assaini le ciel.
Dehors, les contours de l'horizon paraissaient
mieux définis, et d'un vert plus prospère les
massifs qui bordaient rigoureusement l'auto-
route. Le parc automobile, neuf et silencieux,
évoluait avec discipline sur un bitume homo-
gène régulièrement entretenu. Au sein des
habitacles des véhicules, les autochtones filaient
sans sourire vers d'indéchiffrables enjeux.

Sur fond de station radiophonique d'information continue, je percevais à intervalles réguliers l'âcre mélange de chlorophylle et de café
noir qui composait, après son brossage dentaire
du matin, l'haleine de Sylvain depuis ses débuts
de cadre d'entreprise. Il maintenait son volant
en silence, partagé entre une compassion forcée
à l'égard de mes contrariétés et l'impatience
qu'il ne pouvait s'empêcher de me témoigner,
ayant été par ma faute contraint pour la deuxième fois de la semaine d'ajourner de quelques
heures ses impératifs professionnels pour venir
me chercher à l'aéroport.

« Tu dormiras sur le canapé du salon en attendant. Ça ne te dérange pas, hein ? » J'observais son artère temporale droite qui présentait l'exacte arborescence de celle de notre père. « Aucun problème », j'ai répliqué bravement en songeant à toutes les provisions alimentaires, vaisselles exhaustives et appoints d'entretien ménager dont il me faudrait prendre l'initiative au cours de mon séjour chez mon frère pour m'acquitter de son hospitalité.

« De toute façon, avec tous les gens que tu connais, je suis sûr que tu trouveras rapidement beaucoup mieux chez quelqu'un d'autre », il a ajouté tout en opérant un réglage superflu du rétroviseur conducteur à partir du levier miniature de commande fixé sur le garnissage de sa portière. « Tu connais plein de gens, non ? » J'ai acquiescé avec une lenteur méditative. Droit devant, un panneau à message variable annonçait une collision. Bientôt, balises défilantes et fourgons patrouilleurs imposaient au trafic un sérieux ralentissement. Pour me signifier son irritation, Sylvain a émis une expiration nasale sans équivoque assortie d'un *putain* leste et sifflant.

« À propos, il a complété en portant deux doigts nerveux à la poche-poitrine de sa chemisette de saison, tu as reçu une nouvelle lettre recommandée. » Il m'a tendu le carbone d'un avis de réception tandis que les feux à diodes électroluminescentes des véhicules de secours conféraient à l'air ambiant d'irréels reflets mordorés. « Mais là, vu que tu arrivais, je me suis permis de ne pas y aller », il a ajouté sur le ton d'une plaisanterie à laquelle il ne me laissait d'autre choix que de sourire à moitié, tout comme lui.

Une Peugeot renversée gisait à cheval sur la glissière de sécurité, le verre laminé de son pare-brise presque entièrement blanchi par la violence de l'impact. À terre, une silhouette humaine venait d'être recouverte, tête comprise, d'un film isothermique chromé, puis emmenée sur une civière par deux sapeurs-pompiers que ne pressait désormais plus d'urgence particulière. « Eh oui », a ricané Sylvain, dont le spectacle n'avait pas suffi à détourner les yeux de la file de voitures progressant au pas devant lui, « Fini la vie de pacha. »

Les bretelles des quatre sacs de caisse qui se chevauchaient au creux de la ligne de cœur de ma paume pesaient au point de compromettre l'irrigation sanguine de mes doigts, lesquels étaient en train de virer à l'amarante. Je ne savais, des litres de jus en briques ou des livres de fruits nus qui remplissaient les plastiques, quelle denrée présentait l'indice d'alourdissement le plus décisif. En outre, ballottée au gré des frôlements des employés du bureau de poste et des clients circulant d'un service à l'autre, l'arête d'un groupage de six pots de yaourt venait régulièrement heurter mon ménisque externe à travers le polyéthylène. Enfin, une sournoise pluie de juillet avait assez imprégné les vêtements et les cheveux de tout le monde pour exhaler cette humidité et ces relents d'hygiène lacunaire qui rendent, d'ordinaire en hiver, si démoralisants les halls d'accueil des entreprises de service public français.

« Ça t'ennuie pas si je monte avant toi chez Sylvain ? » a demandé en pure rhétorique Stanley qui, après s'être consacré à dix minutes intensives d'échanges de messages textes sur son téléphone, ne prenait même pas le temps, à défaut de m'adresser la parole pour écourter l'attente, de partager mon impatience. En guise d'argument, il a soulevé en grimaçant l'unique sac que je lui avais confié, ayant pris soin, par égard envers son peu d'attrait pour le portage, de n'y fourrer qu'un lot d'essuie-tout et trois scaroles. « Mais regarde, il n'y a plus que deux personnes avant nous », j'ai geint en indiquant de ma main également chargée du double de l'accusé de réception, à quelques pas, l'extrémité du guide-file qui, signalée au sol par un reste de bande adhésive jaune soufre, portait en écriteau la mention suivante : *Veuillez attendre votre tour en respectant la ligne de courtoisie svp.*

« Non, c'est bon, j'y vais », il s'est imposé tout en esquissant une tranquille volte-face. Je cherchais sans espoir à lui objecter quelque chose touchant du même coup à mon voyage, à la solitude, à la famille et à mon humeur du moment lorsque, sans prendre véritablement conscience que sept ou huit kilos venaient violemment de se dérober sous mes phalanges, j'ai observé le contenu complet de mes sachets de provisions se répandre sur la résine époxyde du passage menant aux box des conseillers financiers. Le temps d'identifier la coulée sépia d'une crème de châtaigne figée comme un gel au sortir de son bocal de verre décapité, quelqu'un demandait à voix forte comment les gens pouvaient être aussi cons pour venir faire la queue à la poste avec leurs sacs de courses.

« Pardon ? » j'ai tressauté en tournant mon visage vers un homme à l'aspect beaucoup plus dissuasif que ne pouvait le laisser supposer une institution aussi routinière et sécurisante que la Poste. Ce ne sont pas tant ses kilos et son décimètre en plus qui m'intimidaient que la raideur sans compromis de ses traits, en parfaite conformité avec son langage. « J'ai dit que vous n'avez rien à foutre là, au milieu du passage, avec vos courses qui débordent », il a souligné en se frottant un genou endolori par mes pots de yaourt, tout autant galvanisé par la souffrance que par ma politesse bêlante. Saisi instantanément d'étourdissement et d'un haut-le-cœur, j'ai détourné les yeux. Une vingtaine de reines-claudes matures avaient roulé vers les guichets dévolus aux opérations diverses, s'étant fendues au contact des talons et des plinthes pour achever leur course parmi les mouillures crasseuses d'eau de pluie.

« Bon, ben moi, j'y vais. » En percevant dans mon dos la voix de haute-contre boudeur de

Stanley réitérer son projet, j'ai senti l'onde de choc d'une crue artérielle montée depuis mon estomac s'abattre contre mes tempes. « Tu ne vas nulle part et tu baisses ton gros cul d'abruti pour m'aider à ramasser », j'ai grondé entre mes dents sans prendre la peine de me retourner. « Et vous, ta gueule », j'en ai profité pour rajouter à l'intention du type dans un paroxystique transport où se confondaient, au-delà de ma frayeur, rancune particulière et haine étendue au genre humain tout entier. L'individu n'a pas pris le temps de s'étonner de mon affront. Jubilant d'outrage et de colère, il a saisi le cordon en chanvre synthétique du guide-file pour l'enjamber avec véhémence. « Ça y est », j'ai pensé en le voyant s'avancer, sur un mode sans doute comparable à ce qu'ont ressenti ceux qui, longtemps, auront à la fois redouté et convoité des dénouements tels que, disons, une première expérience sexuelle ou un baptême de saut à l'élastique. *Ça y est, on y est.*

J'ai entendu ou lu un jour quelque part : « C'est une loi de la nature : quelles que soient la taille et la force de l'adversaire, il faut frapper en premier, le plus rapidement possible. Dans deux cas sur trois, l'effet de surprise comme celui de votre volonté dissuaderont votre vis-à-vis de s'engager dans un combat. » Est-ce parce que je me suis trouvé d'entrée de jeu désorienté par la puissante halitose nasale de l'homme que j'ai propulsé sans méthode vers son visage un poing qui n'a en définitive abouti qu'à la couture d'épaule de son T-shirt d'élasthanne ? Les exhalaisons à dominante fromagère émanant de ses narines n'ont d'ailleurs cessé, dans les instants qui ont suivi mon offensive, d'accompagner ses propres dispositions à la rixe, beaucoup plus exercées. Quand diable les hommes se créaient-ils des opportunités pour apprendre ainsi à se battre ? L'intimité brutale de sa masse corporelle, tiède et charnue, me renvoyait à d'imprécises réminiscences de mêlées de cour d'école. J'avais le sentiment de me retrouver au cœur de la vague qui se brise sur le rivage les jours de grand vent, lorsque abandonné aux lois des ondes de gravité comme dans le tambour déboussolé d'une machine à laver, vous n'avez plus qu'à attendre que cela finisse, sans savoir exactement où et dans quel état l'eau tourbillonnante vous aura rejeté sur la grève.

Après quelques secondes de chaos aussi interminables que, mettons, le ralenti du finish d'un 100 mètres de compétition, j'ai senti dans un fracas de métal l'inox poli et froid du poteau de délimitation du guide-file se ficher à l'horizontale entre mes lombaires et mes grands dorsaux. Grâce à l'intervention des clients et des stagiaires d'accueil saisonniers, l'homme avait fini par me rendre ma liberté, non sans me poursuivre de jurons qui me parvenaient étouffés, un peu comme une dispute de voisins à l'étage inférieur peut, sans vous concerner directement, troubler néanmoins votre tranquillité. Par l'effet d'une cocasse coïncidence, ma tête avait heurté le sol à l'endroit précis où, dès le premier coup reçu, le récépissé de la lettre recommandée que j'avais lâché était venu se déposer au terme de quelques gracieuses virevoltes qui faisaient singulièrement écho à mes péripéties pondichériennes. Enfreignant de tout mon long la ligne jaune de patience, je n'avais pas pour autant l'intention de me relever de sitôt. Avec la demi-douzaine de silhouettes parfaitement anonymes s'étant interrompues dans leurs impératifs pour se pencher avec toute l'obligeance du monde sur mon cas, à grand renfort de formules de consolation et de mains secourables tendues, je me sentais comme dans ces minutes de passivité ouatée qui précèdent une anesthésie générale, lorsque rien ne vous paraît plus digne de confiance et d'espoir que le personnel humain tout occupé à tromper vos appréhensions.

J'aurais juré qu'après avoir appliqué la vessie à glace sur mes capillaires endommagés, Hidaya prenait à présent prétexte d'y étaler le décongestionnant veineux pour me caresser le visage. Ses doigts dérivaient par intermittence des zones meurtries pour de brefs et discrets détours vers l'angle intact de mes mandibules ou mes muscles auriculaires antérieurs. Avec en prime le tintement des breloques de son bracelet fan-

taisie et les vapeurs de l'essence apaisante d'hé-
lichryse, son entreprise se doublait d'un tour
voluptueux qui allait bien au-delà du simple
geste médical.

« 1 378,56 euros TTC de frais de remise en
état ! », n'en finissait pas de s'étonner Sylvain,
qui, le courrier recommandé du marchand de
biens sous les yeux, n'interceptait rien du
manège tactile de sa fiancée. « Qu'est-ce que tu
as bien pu bousiller dans cet appartement pour
qu'ils te réclament 1 378,56 euros ? » Davantage
que son goût naturel pour les procédures et les
complications administratives en général, je
soupçonnais que son intérêt soudain pour mes
histoires ne soit le fait du respect admiratif qu'il
me témoignait depuis que Stanley, qui s'était lui
aussi brusquement édulcoré à mon égard, lui
avait fait le détail de ma vaillance au bureau de
poste. Sans compter la compassion déférente
qu'éveille auprès de quiconque tout individu
dont les contusions multiples ont, même provisoirement, transformé le visage en cucurbitacée
de concours.

« Remarque, il a ajouté dans une inflexion
folâtre qui éclairait ses traits d'un jour flatteur,
par rapport à ce que te demande Nathalie, c'est
de l'argent de poche. » « Mieux vaut en rire,
non ? », il a ajouté en m'incitant d'un petit
mouvement de tête à joindre, tout comme lui,
le geste à la parole. Pour ne pas laisser faiblir ces
précieux instants de connivence avec mon frère,

j'ai expiré à mon tour un bref assentiment par mes narines à défaut de me trouver en mesure de faire jouer mes muscles risorius pour lui rendre un sourire complice. « Doucement », j'ai tenu néanmoins à modérer dans une économie labiale maximale tout en désignant le couloir qui menait à la cuisine. « Les enfants. » Toujours sous l'effet de l'émotion suscitée par leur proposition de me relever dans les préparatifs du dîner, je ne voulais pas courir le risque, en décriant trop haut la proverbiale inconséquence de Nathalie, de gâcher la soirée de Stanley et Rita.

Malgré les feuilles de scarole imparfaitement décrottées, les fusilli exagérément salés et les fragments de liège qui surnageaient en surface du vin débouché, ils s'étaient l'un comme l'autre acquittés jusqu'au bout de leur offre. Vers vingt et une heures, tandis que la sécrétion d'endorphines provoquée par l'alcool avait, en détendant mes maxillaires, eu pour principale conséquence de me rendre pour partie ma verve et mon sourire, j'ai perçu chez les miens les premiers symptômes de l'impatience. En effet, en alternance avec les horloges numériques de leurs téléphones portables, chacun tournait de plus en plus mécaniquement la tête dans la perspective de la baie vitrée du salon, au loin, vers la section émergée de la ligne de métro où, toutes les deux minutes, selon, les rames débouchaient ou s'engouffraient dans le front de taille du tunnel.

« Bon », a fini par s'enhardir Sylvain peu après les ultimes fréquences lumineuses d'un crépuscule rougeoyant qui n'en finissait plus de s'estomper, « c'est pas tout, mais il y en a qui bossent demain. » Comprenant à rebours ce que sa remarque pouvait sous-entendre de vexatoire, il m'a adressé de justesse un clin d'œil puis s'est levé, attrapant au passage une tasse de café vide, signe qu'il était temps pour tout le monde de débarrasser la table de ses épaves décourageantes. « Remarque, si le cœur t'en dit, ne te prive surtout pas », il a ajouté en me désignant de l'anse de sa tasse toute la vaisselle souillée qui s'étalait sans discipline d'une extrémité à l'autre de la nappe.

Hochant la tête avec une ardeur disproportionnée, je me suis levé à mon tour, moins embarrassé par le réveil brutal de mes ecchymoses que par la désorganisation sensorielle qui résultait de mon ébriété. Sur le viaduc, dehors, une motrice s'échappait du souterrain tandis qu'en sens inverse une rame s'apprêtait, elle, à y disparaître. « Parce que ça a quand même l'air d'aller beaucoup mieux, non ? » s'est inquiété Sylvain dans l'espoir manifeste que je l'approuve à nouveau. J'ai confirmé derechef, peinant néanmoins à procéder à une mise au point satisfaisante de mon assiette et de mes couverts devant

moi, sans me rendre compte qu'au même instant, sur le viaduc, en pleine obscurité, les deux
rames tête-bêche de métro coïncidaient à la per-
fection dans une déroutante débauche de néons.

DU MÊME AUTEUR

Aux Éditions P.O.L

LE TOUR DU PROPRIÉTAIRE, 2000.

DEMAIN SI VOUS LE VOULEZ BIEN, 2001.

ONE MAN SHOW, 2002 (Folio n° 4091).

RADE TERMINUS, 2004 (Folio n° 4310).

J'ÉTAIS DERRIÈRE TOI, 2006 (Folio n° 4583).

BEAU RÔLE, 2008 (Folio n° 4909).

LE ROMAN DE L'ÉTÉ, 2009 (Folio n° 5244).

TU VERRAS, 2011 (Folio n° 5492).

LA LIGNE DE COURTOISIE, 2012 (Folio n° 5600).

Composition Nord Compo
Impression Novoprint
à Barcelone, le 28 mai 2013
Dépôt légal : mai 2013
1ᵉʳ dépôt légal dans la collection : mai 2013

ISBN 978-2-07-045164-7./Imprimé en Espagne.

256388